Der We

Coordinating Conj.
denn, aber, und, oder

Subordinating Conj.
daß, wenn, bis, als,
seit, weil, ob, seitdem
*nachdem

Interrogative Conj
was, wer, wo, wann

Der Weg zum Lesen

A German Structural Reader

Van Horn Vail
MIDDLEBURY COLLEGE

Kimberly Sparks
MIDDLEBURY COLLEGE

Harcourt, Brace & World, Inc.
NEW YORK / CHICAGO / SAN FRANCISCO / ATLANTA

ISBN: 0-15-595150-5

Library of Congress Catalog Card Number: 67–15335

Printed in the United States of America

Contents

Introduction

D*er Weg zum Lesen* is designed to help both teacher and student over one of the most difficult hurdles in all language instruction—the transition from working through lessons in a grammar book to reading unedited literary texts. A grammar book is necessarily compartmentalized; the student works in a tightly controlled atmosphere, concentrating on one or two points at a time. In the parlance of the beginner, the student "had" the modals last month, is "having" the passive now, and will "have" the subjunctive next month. Most readers, on the other hand—even the elementary ones—plunge the student into the random area of complete language experience where he is expected to function with nearly all of German grammar on every page of text.

This book offers a solution to the problems of such a transition. It employs drill techniques which

(1) teach the student to function in the natural, uncompartmentalized language of unedited texts,

(2) further his active skills so that he is able to work with progressively difficult material, and

(3) fill the class hour with meaningful exercises.

Drill Types

1. Synthetic Exercises

The first technique introduced is that of synthetic exercises, made up of "dehydrated" sentences, which immediately follow all but the last two stories in the book. The student is given the thought content and vocabulary of a particular sentence in a series of key words and is asked to reconstruct the sentence by "adding grammar." These exercises are naturally less demanding for the earlier stories than they are for the later ones. For example, the sentence

Er wartete den ganzen Tag auf den Brief.

appearing early in the book, would be given in dehydrated form as

(1) Er / warten / den ganzen Tag / auf / Brief (*past*)

but if it appeared later it would be condensed to

(2) Er / warten / ganz- / Tag / Brief (*past*)

Sentence (1) directs the student's attention toward the past tense form of *warten* and the fact that *warten auf* requires the accusative case. Sentence (2) forces him, in addition, to reconstruct the phrase *den ganzen Tag* and to supply the preposition *auf*.

2. Express in German

Once the synthetic exercises have provided the student with an active vocabulary, it is possible for him to master it by responding to English cues with the proper German sentences.

Strictly speaking, the express-in-German drills are neither translations nor memory exercises. The student has already dealt with the *same sentences,* with minor variations, in the synthetic exercises, that is, in an all-German context. The express-in-German exercises make the student aware that he is responsible for the meaning as well as the structure of what he has been practicing, and they also provide a safeguard against future English carry-over by allowing him to contrast German and English structures (for example, *wait **for*** with *warten **auf***).

Here is a sample of text with the synthetic and express-in-German exercises derived from it:

Der Milchmann schrieb auf einen Zettel: „Heute keine Butter mehr, leider." Frau Blum las den Zettel und rechnete zusammen, schüttelte den Kopf und rechnete noch einmal, dann schrieb sie: „Zwei Liter, 100 Gramm Butter, Sie hatten gestern keine Butter und berechneten sie mir gleichwohl."

Synthetic Exercises

Use the following elements to make complete sentences. Form the present tense, past tense, and present perfect tense, except where otherwise indicated.

A.

1. Milchmann / schreiben / es / auf / Zettel
   Milchmann / schreiben / auf / Zettel // daß / er / haben / kein / Butter (*pres. and past*)
2. Frau Blum / lesen / Zettel // und / schütteln / Kopf
3. Sie / zusammenrechnen / noch einmal
4. Milchmann / haben / kein / Butter // und / berechnen / sie / Frau / doch

Express in German

A.

1. The milkman wrote it on a slip of paper.
2. He wrote that he didn't have any butter.
3. Mrs. Blum read it and shook her head.
4. She added (it) up again.
5. The milkman didn't have any butter and charged the woman for it anyway.

3. Questions

The student is now prepared to answer questions and to answer them correctly. The synthetic exercises have made him manipulate the grammar and have given him the vocabulary he is expected to control, and the express-in-German drills have confirmed his comprehension of the story line and his mastery of the vocabulary. He can therefore answer a large number of questions fluently and accurately—something he could not have done if he had been confronted by the questions after merely reading the story.

4. Cue-sheets

The cue-sheets, which begin with "Vor dem Gesetz" (p. 94), carry the student a step further—from producing single sentences to relating short paragraphs. By giving him a short series of key words as cues, they enable him (after he has mastered the techniques of the preceding drills) to remember what happened or what was being described at a particular point in the story and to re-tell an entire passage in a connected series of correct sentences. The last two stories in the book are supplied only with cue-sheets. By the time the student has reached these stories, he should be at the level where he is self-programing—that is, he should be able to prepare himself to the same degree that the synthetic exercises and the other drills previously prepared him.

Constructing a Syllabus

The following is a syllabus that might be used for "Die Küchenuhr" (pp. 18–29):

1st day: Text: pp. 19–21, line 28
Synthetic Exercises: Sections A and B (17 exercises)
Express in German: Sections A and B (15 exercises)

2nd day: Text: p. 21, line 29 to end of story
Synthetic Exercises: Sections C, D, and E (21 exercises)
Express in German: Sections C, D, and E (18 exercises)

3rd day: Questions: Sections A–E (34 exercises)

Notes

1. All exercises in the book are divided into sections indicated by letters (A, B, C, etc.). These sections correspond: Section A of "Synthetic Exercises" refers to the same portion of the text as do Section A of "Express in German," Section A of "Questions," and (beginning with "Vor dem Gesetz") Section A of "Cue-sheet." Moreover, the material covered in these sections is, with occasional minor variations, essentially the same. The same material is merely drilled in different ways: first as a synthetic exercise, next as an express-in-German exercise, and finally through question-and-answer technique.
2. In the above syllabus the student is responsible for

   17 *new* sentences the first day,
   21 *new* sentences the second day, and
   34 *review* sentences the third day.

3. *Pacing.* The syllabus above is meant only as a guide. Depending upon the previous preparation of the class and the level of the institution, the teacher might require more or fewer new or review sentences for any one day.
4. *Tempo and Performance.* All the exercises in this book are designed primarily for *oral* performance by the student. As is the case with any oral exercise, the teacher should demand *fluent* responses from his students. In addition to using the exercises for oral performance, the teacher might assign them for written homework and use them as the basis for testing.

We wish to thank Thomas Huber, Hans Walther, and Monika Sutter, who have seen us through this project from beginning to end.

VAN HORN VAIL
KIMBERLY SPARKS

Der Weg zum Lesen

zu•schauen + *dat. obj.* to watch
das **As, -se** ace (cards)
die Achter und die Zehner the eights and the tens

Bier temperieren to warm up beer
verchromt chromium-plated das **Gefäß, -e** container
vorsichtig carefully, cautiously **ab•tropfen** to drip off

grüßen to greet (people)

• separable prefix **(zu•schauen)**
* strong verb
(s) verb with auxiliary **sein**

Das Kartenspiel

Peter Bichsel

Herr Kurt sagt nichts. Er sitzt da und schaut dem Spiel zu. Die vier legen ihre Karten auf den Tisch, die Asse und die Könige, die Achter und die Zehner, die roten zu den roten und die schwarzen zu den schwarzen.

Herr Kurt läßt sich sein Bier temperieren. Sein Glas steht in einem verchromten Gefäß mit heißem Wasser. Von Zeit zu Zeit hebt er es vorsichtig, läßt das Wasser abtropfen. Oft stellt er es zurück, ohne zu trinken; denn er schaut dem Spiel zu. 5

Herr Kurt hat seinen Platz, niemand weiß seit wann und weshalb. Aber um fünf Uhr ist er da, setzt sich oben an den Tisch, grüßt, wenn er gegrüßt wird, bestellt sein Bier und man bringt ihm das heiße Wasser dazu. 10

jüngere younger (people)

der **Geschäftsmann,** die **Geschäftsleute** businessman

ehemalig former der **Schulkollege, -n** schoolmate

Jahrgang 1912 class of 1912 **übrig** other

irgendwelche vier some four (people) or other

spannend exciting, tense

selbst *here:* even

neugierig curious

das **Gratisbier, —** free glass of beer

sich erinnern (an + *acc.***)** to remember

zusammen•zählen to add, total (things) up

der **Verlierer, —** the loser die **Zeche, -n** the (bar) tab, bill

sich ereifern über + *acc.* to get excited, riled about (something)

gegenseitig to each other, back and forth

der **Vorwurf, ¨-e** reproach, rebuke **aus•rechnen** to figure out, calculate

aus•spielen to play a card **nicken** to nod

schütteln to shake

die **Beerdigung, -en** funeral ***erfahren über** + *acc.* to find out about

die **Todesursache, -n** cause of death das **Alter** age

der **Geburtsort** place of birth **überrascht** surprised

unvermeidlich unavoidable **vermissen** to miss

bestimmt definite

• separable prefix
* strong verb
(s) verb with auxiliary **sein**

Um fünf Uhr sind auch die andern da, die vier, und spielen Karten, nicht immer dieselben vier, am Montag meist jüngere, am Dienstag Geschäftsleute, am Freitag vier ehemalige Schulkollegen, Jahrgang 1912, und an den übrigen Wochentagen irgendwelche vier. Oben am Tisch sitzt immer Herr Kurt. Er trinkt ein Bier und sitzt bis sieben Uhr da. Ist das Spiel spannend, bleibt er eine Viertelstunde länger, später geht er nie.

Im Restaurant sitzen auch andere, aber kein anderer kommt jeden Tag. Selbst der Wirt ist nicht jeden Abend da und die Kellnerin hat am Mittwoch ihren freien Tag.

Herr Kurt macht niemanden neugierig. Trotzdem hat man ihn in den Jahren kennengelernt. In der Agenda des Wirts steht unter dem 14. Juli „Herr Kurt". An diesem Tag, es ist sein Geburtstag, bekommt Herr Kurt sein Gratisbier. Der Wirt kann sich nicht erinnern, woher er Herrn Kurts Geburtstag kennt. Man würde Herrn Kurt nicht danach fragen.

Nach dem Spiel werfen die vier ihre Karten auf den Tisch, nehmen die Kreide und zählen zusammen, die Verlierer bezahlen die Zeche. Dann ereifern sie sich über Spielregeln und Taktik, machen sich gegenseitig Vorwürfe und rechnen sich aus, was geschehen wäre, wenn man den König später und den Zehner früher ausgespielt hätte. Herr Kurt nickt ab und zu oder schüttelt den Kopf. Er sagt nichts.

Wenn Herr Kurt die Regeln des Kartenspiels nicht kennen würde, sähe er sein Leben lang nur rote und schwarze Karten. Aber er kennt die Karten und er kennt das Spiel. Es ist wahrscheinlich, daß er es kennt.

Bei Herrn Kurts Beerdigung wird man alles über ihn erfahren, die Todesursache, sein Alter, seinen Geburtsort, seinen Beruf. Man wird vielleicht überrascht sein. Und später wird, weil es unvermeidlich ist, ein Spieler sagen, daß er Herrn Kurt vermisse. Aber das ist nicht wahr, das Spiel hat ganz bestimmte Regeln.

Exercises

Synthetic Exercises

Use the following elements to make complete sentences. Form the present tense, past tense, and present perfect tense, except where otherwise indicated.

A.

1. Herr Kurt / sitzen / da // und / zuschauen / Spiel
2. Leute / legen / Karten / auf / Tisch // die rot- / zu / rot // und / die schwarz- / zu / schwarz
3. Er / lassen / temperieren / Bier
4. Glas / stehen / in / Gefäß / mit / heiß / Wasser
5. . . . Zeit . . . Zeit / er / heben / Glas
6. Er / heben / es / vorsichtig // und / lassen / abtropfen / Wasser
7. Oft / er / zurückstellen / Glas // ohne / trinken
8. Herr Kurt / haben / sein- / Platz // niemand / wissen / seit wann (*pres. and past*)
9. Er / setzen . . . / an / Tisch
10. Er / grüßen // wenn / er / gegrüßt (*passive*) (*pres. and past*)
11. Man / bringen / Herr Kurt / Bier / und / heiß / Wasser

B.

1. Es / sein / nicht immer / dieselb- / vier // die / spielen / Karten
2. Herr Kurt / sitzen / oben / an / Tisch // und / trinken / Bier
3. Wenn / Spiel / sein / spannend // er / bleiben / Viertelstunde / länger (*pres. and past*)
4. Kein ander- / kommen / jed- / Tag
5. Das / machen / (*me*) / neugierig
6. In / Agenda / Wirts / stehen / unter / 14. Juli / „Herr Kurt" (*pres. and past*)
7. An / Geburtstag / bekommen / er / Gratisbier
8. Er / erinnern . . . / an / sein / Geburtstag
9. Er / können / erinnern . . . / nicht / daran
10. Er / können / erinnern . . . / nicht // woher / er / kennen / Geburtstag (*pres. and past*)

C.

1. Nach / Spiel / werfen / Leute / Karten / auf / Tisch
2. Sie / nehmen / Kreide // und / zusammenzählen
3. Was / geschehen // wenn / man / ausspielen / König / später (*subj. II pres. and past*)
4. Herr Kurt / nicken / ab und zu // oder / schütteln / Kopf
5. Wenn / er / nicht / kennen / Regeln // er / sehen / nur / rot / und / schwarz / Karten (*indic. pres. and subj. II pres. and past*)
6. Bei / sein / Beerdigung / man / erfahren / alles / über / (*him*) (*pres., past, perf., and fut.*)
7. Man / erfahren / Todesursache / Alter / Geburtsort / Beruf
8. Spieler / sagen / später // daß / er / vermissen / Herr Kurt (*1st clause fut., 2nd clause subj. I pres.*)

Express in German

A.

1. Mr. Kurt sat there and watched the game.
2. The people laid their cards on the table, the red ones to the red ones and the black ones to the black ones.
3. His glass stood in a container (filled) with hot water.
4. From time to time he raised his glass.
5. He let the water drip off.
6. Often he put the glass back without drinking.
7. He sat down at the table.
8. They brought him his beer and the hot water.

B.

1. It wasn't always the same four who played cards.
2. He sat at the table and drank his beer.
3. Whenever the game was exciting he stayed a quarter of an hour longer.
4. No other (person) came every day.
5. He got a *free glass of beer*[1] on his birthday.
6. The innkeeper remembered his birthday.

---

[1] Italics denote constructions that differ markedly in the two languages. **Achtung!**

C.

1. After the game the people threw their cards on the table.
2. They took a (piece of) chalk and totaled (things) up.
3. What would have happened if he had played the king later?
4. Mr. Kurt nodded now and then, or he shook his head.
5. If he didn't know the rules, he'd only see red and black cards.
6. At his burial they'll find out everything about him.
7. Later, a player will say that he misses Mr. Kurt.
8. The game has very definite rules.

Questions

A.

1. Was tut Herr Kurt in dem Wirtshaus? (das **Wirtshaus** inn)
2. Wo steht sein Glas Bier?
3. Was tut er von Zeit zu Zeit mit seinem Glas?
4. Seit wann hat Herr Kurt seinen Platz an diesem Tisch?
5. Was tut er, wenn er um fünf Uhr hineinkommt?
6. Was bringt man ihm?

B.

1. Wer sind die Kartenspieler?
2. Wie lange bleibt Herr Kurt normalerweise? Wenn das Spiel spannend ist?
3. Was wird über den 14. Juli gesagt?
4. Woran kann sich der Wirt nicht erinnern?

C.

1. Was tun die Spieler gleich nach dem Spiel?
2. Was müssen die Verlierer tun?
3. Was rechnen die Spieler aus?
4. Was tut Herr Kurt, während die Spieler solche Sachen ausrechnen?
5. Was wäre der Fall (*the case*), wenn er die Regeln nicht kennen würde?
6. Was wird man bei seiner Beerdigung erfahren?
7. Was wird ein Spieler später sagen?

der **Zettel, —** slip of paper

zusammen•rechnen to add or total (things) up

einem etwas berechnen to charge a person for something
gleichwohl anyway, nevertheless

kennen•lernen to meet, make the acquaintance of
einem (*dat.*) böse sein to be mad at someone
der **Topf, ⸗e** pot, jar; *here:* a milk jug into which the milkman pours the two liters of milk **verbeult** battered

Der Milchmann

Peter Bichsel

Der Milchmann schrieb auf einen Zettel: „Heute keine Butter mehr, leider." Frau Blum las den Zettel und rechnete zusammen, schüttelte den Kopf und rechnete noch einmal, dann schrieb sie: „Zwei Liter, 100 Gramm Butter, Sie hatten gestern keine Butter und berechneten sie mir gleichwohl." 5

Am andern Tag schrieb der Milchmann: „Entschuldigung."

Der Milchmann kommt morgens um vier, Frau Blum kennt ihn nicht, man sollte ihn kennen, denkt sie oft, man sollte einmal um vier aufstehen, um ihn kennenzulernen.

Frau Blum fürchtet, der Milchmann könnte ihr böse sein, der 10 Milchmann könnte schlecht denken von ihr, ihr Topf ist verbeult.

lesbar legible
die **Schrift** handwriting
sich Gedanken machen über + *acc.* to think or worry about (something)
*__vor•kommen__ (s) to happen, occur der **Rappen, —** Swiss cent

anstandslos unhesitating
nicht der Rede wert not worth mentioning, don't mention it
keine Ursache no cause, *i.e.,* no reason for saying "Entschuldigung"; *like:* don't mention it
der **Briefwechsel** correspondence

die **Mannschaft, —** team; *here:* a soccer team

abstehende Ohren protruding ears

plump *here:* pudgy **verwaschen** pale, "washed-out"
__*denken an__ + *acc.* to think of

ins Gespräch *kommen (s) to get into a conversation

einer von denen one of those (people) die **Pflicht, -en** duty

fehlen (es fehlt ihnen Geld) to be missing (they are missing money, *i.e.,* are short money)
bei der Abrechnung when the accounts are settled
Schuld *haben (an + *dat.*) to be at fault

• separable prefix
* strong verb
(s) verb with auxiliary **sein**

Der Milchmann kennt den verbeulten Topf, es ist der von Frau Blum, sie nimmt meistens 2 Liter und 100 Gramm Butter. Der Milchmann kennt Frau Blum. Würde man ihn nach ihr fragen, würde er sagen: „Frau Blum nimmt 2 Liter und 100 Gramm, sie hat einen verbeulten Topf und eine gut lesbare Schrift." Der Milchmann macht sich keine Gedanken, Frau Blum macht keine Schulden. Und wenn es vorkommt — es kann ja vorkommen — daß 10 Rappen zu wenig daliegen, dann schreibt er auf einen Zettel: „10 Rappen zu wenig." Am andern Tag hat er die 10 Rappen anstandslos und auf dem Zettel steht: „Entschuldigung." ‚Nicht der Rede wert' oder ‚keine Ursache', denkt dann der Milchmann und würde er es auf den Zettel schreiben, dann wäre das schon ein Briefwechsel. Er schreibt es nicht.

Den Milchmann interessiert es nicht, in welchem Stock Frau Blum wohnt, der Topf steht unten an der Treppe. Er macht sich keine Gedanken, wenn er nicht dort steht. In der ersten Mannschaft spielte einmal ein Blum, den kannte der Milchmann, und der hatte abstehende Ohren. Vielleicht hat Frau Blum abstehende Ohren.

Milchmänner haben unappetitlich saubere Hände, rosig, plump und verwaschen. Frau Blum denkt daran, wenn sie seine Zettel sieht. Hoffentlich hat er die 10 Rappen gefunden. Frau Blum möchte nicht, daß der Milchmann schlecht von ihr denkt, auch möchte sie nicht, daß er mit der Nachbarin ins Gespräch käme. Aber niemand kennt den Milchmann, in unserm Quartier niemand. Bei uns kommt er morgens um vier. Der Milchmann ist einer von denen, die ihre Pflicht tun. Wer morgens um vier die Milch bringt, tut seine Pflicht, täglich, sonntags und werktags. Wahrscheinlich sind Milchmänner nicht gut bezahlt und wahrscheinlich fehlt ihnen oft Geld bei der Abrechnung. Die Milchmänner haben keine Schuld daran, daß die Milch teurer wird.

Und eigentlich möchte Frau Blum den Milchmann gern kennenlernen.

Der Milchmann kennt Frau Blum, sie nimmt 2 Liter und 100 Gramm und hat einen verbeulten Topf.

Exercises

Synthetic Exercises

Use the following elements to make complete sentences. Form the present tense, past tense, and present perfect tense, except where otherwise indicated.

A.

1. Milchmann / schreiben / es / auf / Zettel
   Milchmann / schreiben / auf / Zettel // daß / er / haben / kein / Butter (*pres. and past*)
2. Frau Blum / lesen / Zettel // und / schütteln / Kopf
3. Sie / zusammenrechnen / noch einmal
4. Milchmann / haben / kein / Butter // und / berechnen / sie / Frau / doch
5. Milchmann / kommen / morgens / vier Uhr
6. Man / sollen / kennen / Milchmann (*indic. pres. and subj. II pres. and past*)
7. Frau Blum / denken // daß / man / sollen / kennen / Milchmann (*1st clause pres., 2nd clause subj. II pres.*)
8. Er / aufstehen / sehr früh
9. Man / sollen / aufstehen / vier Uhr // um / kennenlernen / Milchmann (*indic. pres. and subj. II pres. and past; keep final clause an infinitival* (zu) *construction*)
10. Er / sein / mir / böse
11. Er / können / sein / mir / böse
12. Milchmann / können / sein / ihr / böse // und / können / denken / schlecht von ihr (*subj. II pres. and past*)

B.

1. Milchmann / kennen / verbeult / Topf
2. Frau Blum / nehmen / 2 Liter Milch // und / haben / lesbar / Schrift (*pres. and past*)
3. Milchmann / machen . . . / kein / Gedanken // weil / Frau Blum / machen / kein / Schulden
4. Es / vorkommen
5. Es / vorkommen // daß / 10 Rappen zu wenig / daliegen (*pres. and past*)
6. Wenn / es / vorkommen // dann / Milchmann / schreiben / „10 Rappen zu wenig" (*pres. and past*)

7. Es / sein / Briefwechsel // wenn / er / schreiben / „keine Ursache“ (*subj. II pres. and past*)
8. Es / interessieren / Milchmann / nicht // in / welch- / Stock / Frau Blum / wohnen (*pres. and past*)
9. Ein Blum / spielen / in / erst / Mannschaft
10. Milchmann / kennen / ein / Blum // der / spielen / in / erst / Mannschaft

C.

1. Wenn / sie / sehen / Zettel // Frau Blum / denken // daß / Milchmänner / haben / sauber / plump / Hände (*pres.*)
2. Frau Blum / wollen / nicht // daß / Milchmann / denken / schlecht von (*her*) (*pres. and past*)
3. Er / kommen / in / Gespräch / mit / Nachbarin
4. Frau Blum / wollen / nicht // daß / er / kommen / in / Gespräch / mit / Nachbarin (*pres.*)
5. Niemand / kennen / Milchmann // weil / er / kommen / vier Uhr
6. Wer / kommen / vier Uhr // tun / Pflicht (*pres.*)
7. Milchmänner / sein / nicht / gut bezahlt (*pres. and past*)
8. Milchmänner / haben / kein / Schuld . . . // daß / Milch / werden / teurer

Express in German

A.

1. The milkman wrote it on a slip of paper.
2. He wrote that he didn't have any butter.
3. Mrs. Blum read it and shook her head.
4. She added (it) up again.
5. The milkman didn't have any butter and charged the woman for it anyway.
6. The milkman came at four in the morning.
7. One should know the milkman. One should have known the milkman.
8. Mrs. Blum thinks that one should know the milkman.
9. He got up very early. (*past and perf.*)
10. One should get up at four in order to meet him.
11. He's mad at me. He could be mad at her.
12. He could think badly of her.

B.

1. Mrs. Blum took two liters of milk and had a legible hand.
2. She didn't make any debts.
3. Whenever it happens the milkman writes "ten Rappen too little."
4. It would be a correspondence if he wrote "don't mention it."
5. That doesn't interest me.
6. The milkman knew a Blum who played on the first team.

C.

1. She doesn't *want him to* think badly of her.
2. Did he get into a conversation with a neighbor?
3. No one knows the milkman because he comes at four in the morning.
4. Whover comes at four in the morning is doing his duty.
5. Milkmen aren't well paid.
6. It's not their fault that milk is getting more expensive.

Questions

A.

1. Was schrieb der Milchmann auf einen Zettel?
2. Was tat Frau Blum, als sie den Zettel las?
3. Warum tat sie das?
4. Wann kommt der Milchmann?
5. Was, denkt Frau Blum, sollte man einmal tun?
6. Was fürchtet Frau Blum?
7. Warum könnte der Milchmann so etwas denken?

B.

1. Was würde der Milchmann sagen, wenn man ihn nach ihr fragen würde?
2. Warum macht sich der Milchmann keine Gedanken über Frau Blum?
3. Was kann vorkommen?
4. Was tut der Milchmann, wenn das vorkommt?
5. Warum schreibt der Milchmann nicht „nicht der Rede wert"?
6. Was interessiert den Milchmann nicht?

C.

1. Was denkt Frau Blum, wenn sie die Zettel des Milchmanns sieht?
2. Was möchte Frau Blum nicht?
3. Warum kennt niemand den Milchmann?
4. Woran haben die Milchmänner keine Schuld?

auf einen *zu•kommen (s) to come toward, approach someone
***auf•fallen** (s) to be striking das **Gesicht, -er** face
***sehen an** + *dat.* (**An seinem Gang sah man . . .** One saw by his gait . . .) die **Bank, ⸚e** bench

der **Teller, —** plate **tellerweiß** white as a plate
ab•tupfen to dab at (touch) **blaugemalt** painted blue

Die Küchenuhr

Wolfgang Borchert

Sie sahen ihn schon von weitem auf sich zukommen, denn er fiel auf. Er hatte ein ganz altes Gesicht, aber wie er ging, daran sah man, daß er erst zwanzig war. Er setzte sich mit seinem alten Gesicht zu ihnen auf die Bank. Und dann zeigte er ihnen, was er in der Hand trug. 5

Das war unsere Küchenuhr, sagte er und sah sie alle der Reihe nach an, die auf der Bank in der Sonne saßen. Ja, ich habe sie noch gefunden. Sie ist übriggeblieben.

Er hielt eine runde tellerweiße Küchenuhr vor sich hin und tupfte mit dem Finger die blaugemalten Zahlen ab. 10

Sie hat weiter keinen Wert, meinte er entschuldigend, das

der **Lack, -e** lacquer, shellac, enamel
der **Zeiger, —** hand (of a clock), pointer
das **Blech** tin
das steht fest that's a fact, that's for sure

die **Spitze, -n** point, tip   der **Kreis, -e** circle
der **Rand, ⸚er** edge, rim

Die *here:* those who

freudig cheerfully, joyfully
***hoch•heben** to lift, hold up

***fort•fahren** *here:* to continue; *lit.:* to drive off
aufgeregt excitedly

ausgerechnet exactly, just (*as in:* The clock stopped *just* at the time I used to come home.)
***treffen** to hit, strike
***vor•schieben** to push out (**Er schob wichtig die Unterlippe vor.** He made himself look important.)
der **Druck** pressure
schütteln to shake   **überlegen** in a knowing or superior way
sich irren to make a mistake

der **Witz, -e** joke

fast almost

weiß ich auch. Und sie ist auch nicht so besonders schön. Sie ist nur wie ein Teller, so mit weißem Lack. Aber die blauen Zahlen sehen doch ganz hübsch aus, finde ich. Die Zeiger sind natürlich nur aus Blech. Und nun gehen sie auch nicht mehr. Nein. Innerlich ist sie kaputt, das steht fest. Aber sie sieht noch aus wie immer. Auch wenn sie jetzt nicht mehr geht.

Er machte mit der Fingerspitze einen vorsichtigen Kreis auf dem Rand der Telleruhr entlang. Und er sagte leise: Und sie ist übriggeblieben.

Die auf der Bank in der Sonne saßen, sahen ihn nicht an. Einer sah auf seine Schuhe und die Frau sah in ihren Kinderwagen. Dann sagte jemand:

Sie haben wohl alles verloren?

Ja, ja, sagte er freudig, denken Sie, aber auch alles! Nur sie hier, sie ist übrig. Und er hob die Uhr wieder hoch, als ob die anderen sie noch nicht kannten.

Aber sie geht doch nicht mehr, sagte die Frau.

Nein, nein, das nicht. Kaputt ist sie, das weiß ich wohl. Aber sonst ist sie doch noch ganz wie immer: weiß und blau. Und wieder zeigte er ihnen seine Uhr. Und was das Schönste ist, fuhr er aufgeregt fort, das habe ich Ihnen ja noch überhaupt nicht erzählt. Das Schönste kommt nämlich noch: Denken Sie mal, sie ist um halb drei stehengeblieben. Ausgerechnet um halb drei, denken Sie mal.

Dann wurde Ihr Haus sicher um halb drei getroffen, sagte der Mann und schob wichtig die Unterlippe vor. Das habe ich schon oft gehört. Wenn die Bombe runtergeht, bleiben die Uhren stehen. Das kommt von dem Druck.

Er sah seine Uhr an, und schüttelte überlegen den Kopf. Nein, lieber Herr, nein, da irren Sie sich. Das hat mit den Bomben nichts zu tun. Sie müssen nicht immer von den Bomben reden. Nein. Um halb drei war ganz etwas anderes, das wissen Sie nur nicht. Das ist nämlich der Witz, daß sie gerade um halb drei stehengeblieben ist. Und nicht um viertel nach vier oder um sieben. Um halb drei kam ich nämlich immer nach Hause. Nachts, meine ich. Fast immer um halb drei. Das ist ja gerade der Witz.

zu•nicken to nod to (toward)

noch so leise ever so softly, as gently as I could

kacheln to tile (*e.g.,* a floor)

scheuern to rub
die **Kachel, -n** glazed tile
satt full, satiated

selbstverständlich obvious, self-evident; *here:* natural

einen Atemzug lang for a moment (length of a breath)

an•lächeln to smile at **verlegen** in an embarrassed way
mit *i.e.,* along *with* everything else
sich vor•stellen to imagine (Imagine that!)

Er sah die anderen an, aber die hatten ihre Augen von ihm weg genommen. Er fand sie nicht. Da nickte er seiner Uhr zu: Dann hatte ich natürlich Hunger, nicht wahr? Und ich ging immer gleich in die Küche. Da war es dann fast immer halb drei. Und dann, dann kam nämlich meine Mutter. Ich konnte noch so 5 leise die Tür aufmachen, sie hat mich immer gehört. Und wenn ich in der dunklen Küche etwas zu essen suchte, ging plötzlich das Licht an. Dann stand sie da in ihrer Wolljacke und mit einem roten Schal um. Und barfuß. Immer barfuß. Und dabei war unsere Küche gekachelt. Und sie machte ihre Augen ganz 10 klein, weil ihr das Licht so hell war. Denn sie hatte ja schon geschlafen. Es war ja Nacht.

So spät wieder, sagte sie dann. Mehr sagte sie nie. Nur: So spät wieder. Und dann machte sie mir das Abendbrot warm und sah zu, wie ich aß. Dabei scheuerte sie immer die Füße anein- 15 ander, weil die Kacheln so kalt waren. Schuhe zog sie nachts nie an. Und sie saß so lange bei mir, bis ich satt war. Und dann hörte ich sie noch die Teller wegsetzen, wenn ich in meinem Zimmer schon das Licht ausgemacht hatte. Jede Nacht war es so. Und meistens immer um halb drei. Das war ganz selbstver- 20 ständlich, fand ich, daß sie mir nachts um halb drei in der Küche das Essen machte. Ich fand das ganz selbstverständlich. Sie tat das ja immer. Und sie hat nie mehr gesagt als: So spät wieder. Aber das sagte sie jedesmal. Und ich dachte, das könnte nie aufhören. Es war mir so selbstverständlich. Das alles war 25 doch immer so gewesen.

Einen Atemzug lang war es ganz still auf der Bank. Dann sagte er leise: Und jetzt? Er sah die anderen an. Aber er fand sie nicht. Da sagte er der Uhr leise ins weißblaue runde Gesicht: Jetzt, jetzt weiß ich, daß es das Paradies war. Das richtige 30 Paradies.

Auf der Bank war es ganz still. Dann fragte die Frau: Und Ihre Familie?

Er lächelte sie verlegen an: Ach, Sie meinen meine Eltern? Ja, die sind auch mit weg. Alles ist weg. Alles, stellen Sie sich 35 vor. Alles weg.

***denken an** + *acc.* to think of

Er lächelte verlegen von einem zum anderen. Aber sie sahen ihn nicht an.

Da hob er wieder die Uhr hoch und er lachte. Er lachte: Nur sie hier. Sie ist übrig. Und das Schönste ist ja, daß sie ausgerechnet um halb drei stehengeblieben ist. Ausgerechnet um halb drei. 5

Dann sagte er nichts mehr. Aber er hatte ein ganz altes Gesicht. Und der Mann, der neben ihm saß, sah auf seine Schuhe. Aber er sah seine Schuhe nicht. Er dachte immerzu an das Wort Paradies. 10

Exercises

Synthetic Exercises

Use the following elements to make complete sentences. Form the present tense, past tense, and present perfect tense, except where otherwise indicated.

A.

1. Sie / sehen / Mann / auf sich / zukommen // denn / er / auffallen
2. Er / haben / alt / Gesicht // aber / man / sehen // daß / sein / erst / zwanzig
   Er / haben / alt / Gesicht // aber / wie / er / gehen // daran / man / sehen // daß / er / sein / erst / zwanzig (*pres. and past*)
3. Er / setzen . . . / mit / sein / alt / Gesicht / zu / Leute / auf / Bank
4. Dann / zeigen / er / Leute // was / er / tragen / in / Hand (*pres. and past*)
5. Er / ansehen / Leute // die / sitzen / Bank
6. Küchenuhr / übrigbleiben (*past and perf.*)
7. Er / halten / rund / tellerweiß / Küchenuhr / vor . . .
8. Er / wissen // daß / sie / haben / kein / Wert // und / daß / sie / sein / nicht / schön (*pres. and past*)
9. Er / finden // daß / blau / Zahlen / aussehen / hübsch (*pres. and past*)

10. Es / feststehen // daß / sie / sein / innerlich / kaputt (*pres. and past*)

B.

1. Leute / sitzen / Bank / Sonne // und / ansehen / jung / Mann / nicht
2. Ein / sehen / auf / Schuhe // und / Frau / sehen / in / Kinderwagen
3. Er / hochheben / Uhr
4. Er / fortfahren / mit / Erzählung (*pres. and past*)
5. Uhr / stehenbleiben / halb drei
6. Mann / sagen // daß / Haus / getroffen (*passive*) / halb drei (*1st clause past, 2nd clause pres. perf.*)
7. Wenn / Bomben / runtergehen // Uhren / stehenbleiben (*pres.*)

C.

1. Er / ansehen / Uhr // und / schütteln / Kopf
2. Sie / irren . . . // wenn / Sie / glauben // daß / das / kommen / Druck (*pres.*)
3. Das / haben / nichts / Bomben / tun
4. Sie / sollen / reden / nicht immer / Bomben (*indic. pres. and subj. II pres. and past*)
5. Er / ansehen / andere // aber / er / finden / Augen / nicht
6. Weil / er / haben / Hunger // er / gehen / Küche
7. Obwohl / er / aufmachen / Tür / leise // Mutter / hören / ihn / immer
8. Wenn / er / suchen / dunkel / Küche / etwas / essen // Licht / angehen / plötzlich (*past*)
9. Sie / stehen / barfuß / da // mit / rot / Schal / um / Hals
10. Sie / machen / Augen / klein // weil / Licht / sein / so hell

D.

1. Sie / machen / Abendbrot / warm // und / zusehen // wie / er / essen (*pres. and past*)
2. Sie / sitzen / so lange / ihm // bis / er / sein / satt
3. Wenn / er / ausmachen / Licht / Zimmer // er / hören / Mutter / wegsetzen / Teller (*past*)
4. Es / sein / jung / Mann / selbstverständlich (*pres. and past*)
5. Er / denken // daß / es / können / nie / aufhören (*1st clause past, 2nd clause subj. II pres.*)
6. . . . Atemzug lang / es / sein / ganz still / Bank
7. Er / sagen // daß / es / sein / richtig / Paradies (*pres. and past*)

E.

1. Er / anlächeln / Leute / verlegen // und / er / sagen // daß / alles / sein / weg (*Keep final clause in pres.*)
2. Er / sagen / nichts mehr // aber / er / haben / alt / Gesicht
3. Mann // — / sitzen / neben ihm // sehen / auf / Schuhe // aber / er sehen / sie / wirklich nicht
4. Er / denken / Wort / Paradies

Express in German

A.

1. They saw the man coming toward them because he *attracted (their) attention.*
2. He had an old face, but *from the way he walked* they saw that he was only twenty.
3. Then he showed the people what he was carrying in his hand.
4. He said that it was a kitchen clock.
5. Only the kitchen clock was left.
6. He held the clock in front of him.
7. He knew that it had no value and that it wasn't pretty.
8. The hands were made of tin.

B.

1. The people sat on the bench in the sun and didn't look at the young man.
2. One man looked at his shoes, and a woman looked into her baby carriage.
3. He held the clock up.
4. He continued his story.
5. The best is yet to come: the clock stopped at two-thirty.
6. The man said that the house was hit at two-thirty.
7. When the bombs fall, the clocks stop. That comes from the pressure.

C.

1. He looked at the clock and shook his head.
2. You are wrong if you think that comes from the pressure.
3. That has nothing to do with bombs.
4. You shouldn't always talk about bombs.
5. He looked at the others, but he couldn't catch (find) their eyes.
6. He went into the kitchen because he was hungry.
7. Although he opened the door quietly, his mother always heard him.

8. She stood there in her bare feet with a red scarf around her neck.
9. She *squinted* because the light was so bright.

D.

1. She warmed up his supper for him and watched as he ate.
2. She sat with him until he was finished (full).
3. When he turned out the light in his room, he heard her putting the plates away.
4. He thought it could never end.
5. For a moment it was quiet on the bench.
6. He said that that was a real paradise.

E.

1. He smiled at them in an embarrassed way and said that everything was gone.
2. The man who was sitting next to him looked at his shoes, but he didn't really see them.
3. He was thinking about the word "paradise."

Questions

A.

1. Warum sahen sie ihn schon von weitem auf sich zukommen?
2. Woran sah man, daß er erst zwanzig war?
3. Warum könnte man ihn für älter halten?
4. Wo setzte er sich hin?
5. Was zeigte er den Leuten?
6. Was hielt er in der Hand?
7. Wen hat er angesehen?
8. Was sagte er über die Küchenuhr?
9. Wie sah die Uhr aus?
10. Was ist mit der alten Uhr los?
11. Beschreiben Sie die Zeiger der alten Uhr!

B.

1. Was machte er mit der Fingerspitze?
2. Was taten die Leute, die auf der Bank saßen?
3. Was machte der junge Mann dann mit der Uhr?
4. Was hält er für das Schönste?
5. Dem **anderen** Mann nach, warum ist die Uhr um halb drei stehengeblieben?
6. Woher kommt es, daß die Uhren dann stehenbleiben?

C.

1. Wohin ging er immer um halb drei? Warum?
2. Was suchte er in der Küche?
3. Was geschah, wenn er in die dunkle Küche kam?
4. Wie war die Mutter gekleidet?
5. Warum machte sie die Augen ganz klein?

D.

1. Was machte sie für ihren Sohn?
2. Was tat sie immer mit den Füßen? Warum?
3. Wie lange saß sie bei ihm? Was hat sie gleich nachher getan?
4. Was fand er ganz selbstverständlich?
5. Was dachte er damals?
6. Was taten die Leute auf der Bank?
7. Was hält der junge Mann jetzt von seinem vorherigen Leben?

E.

1. Worüber hat die Frau ihn dann gefragt? Was machte er dann?
2. Was ist seinen Eltern passiert?
3. Was macht er dann mit der Uhr?
4. Was tat der Mann, der neben ihm saß?
5. Woran dachte dieser Mann?

plötzlich suddenly **auf•wachen** (s) to wake up

überlegen to reflect, ponder over; *here:* to wonder

***stoßen** (s) **(gegen)** to bump (into)

horchen nach + *dat.* to listen (hearken) toward

fuhr mit der Hand über das Bett ran her hand over the bed

der **Atem** breath **atmen** to breathe

fehlen to be missing, lacking **(sich) tappen** to grope (one's way)

(sich) treffen to meet (each other)

der **Küchenschrank, ⸗e** kitchen cupboard

sich gegenüber facing each other

Das Brot

Wolfgang Borchert

Plötzlich wachte sie auf. Es war halb drei. Sie überlegte, warum sie aufgewacht war. Ach so! In der Küche hatte jemand gegen einen Stuhl gestoßen. Sie horchte nach der Küche. Es war still. Es war zu still, und als sie mit der Hand über das Bett neben sich fuhr, fand sie es leer. Das war es, was es so besonders still gemacht hatte: sein Atem fehlte. Sie stand auf und tappte durch die dunkle Wohnung zur Küche. In der Küche trafen sie sich. Die Uhr war halb drei. Sie sah etwas Weißes am Küchenschrank stehen. Sie machte Licht. Sie standen sich im Hemd gegenüber. Nachts. Um halb drei. In der Küche.

Auf dem Küchentisch stand der Brotteller. Sie sah, daß er

*__ab•schneiden__ to cut off (a loaf) das **Messer, —** knife

der **Teller, —** plate die **Decke, -n** tablecloth

die **Brotkrümel** bread crumbs das **Tischtuch, ¨er** tablecloth

die **Kälte** cold, coldness die **Fliese, -n** tile

(an einem) hoch *__kriechen__ (s) to creep up on (a person)

hier wäre (et)was something might be here

dabei *here:* at the same time (as she said that)

tagsüber during the day

es liegt an +*dat.* it's due to, because of

bei with, in the case of

auf einmal all at once

so barfuß barefoot like that

sich erkälten to catch a cold

*__ertragen__ to bear, stand (something)

*__lügen__ to lie **verheiratet** married

sinnlos senselessly, aimlessly

Sie stellte den Teller vom Tisch She took the plate off the table

schnippen to snip, whisk

einem zu Hilfe *__kommen__ (s) to come to someone's help

komm man **man** *is a north German form akin to* **mal.** *The translation of these words depends a great deal upon context, and they are often not directly translatable; here:* **komm man** come on; *later:* **Iß du man eine mehr.** You go ahead and eat one more.

der **Lichtschalter, —** light switch

sich Brot abgeschnitten hatte. Das Messer lag noch neben dem Teller. Und auf der Decke lagen Brotkrümel. Wenn sie abends zu Bett gingen, machte sie immer das Tischtuch sauber. Jeden Abend. Aber nun lagen Krümel auf dem Tuch. Und das Messer lag da. Sie fühlte, wie die Kälte der Fliesen langsam an ihr hoch kroch. Und sie sah von dem Teller weg.

„Ich dachte, hier wäre was", sagte er und sah in der Küche umher.

„Ich habe auch was gehört", antwortete sie, und dabei fand sie, daß er nachts im Hemd doch schon recht alt aussah. So alt wie er war. Dreiundsechzig. Tagsüber sah er manchmal jünger aus. Sie sieht doch schon alt aus, dachte er, im Hemd sieht sie doch ziemlich alt aus. Aber das liegt vielleicht an den Haaren. Bei den Frauen liegt das nachts immer an den Haaren. Die machen dann auf einmal so alt.

„Du hättest Schuhe anziehen sollen. So barfuß auf den kalten Fliesen. Du erkältest dich noch."

Sie sah ihn nicht an, weil sie nicht ertragen konnte, daß er log. Daß er log, nachdem sie neununddreißig Jahre verheiratet waren.

„Ich dachte, hier wäre was", sagte er noch einmal und sah wieder so sinnlos von einer Ecke in die andere, „ich hörte hier was. Da dachte ich, hier wäre was."

„Ich hab auch was gehört. Aber es war wohl nichts." Sie stellte den Teller vom Tisch und schnippte die Krümel von der Decke.

„Nein, es war wohl nichts", echote er unsicher.

Sie kam ihm zu Hilfe: „Komm man. Das war wohl draußen. Komm man zu Bett. Du erkältest dich noch. Auf den kalten Fliesen."

Er sah zum Fenster hin. „Ja, das muß wohl draußen gewesen sein. Ich dachte, es wäre hier."

Sie hob die Hand zum Lichtschalter. Ich muß das Licht jetzt ausmachen, sonst muß ich nach dem Teller sehen, dachte sie. Ich darf doch nicht nach dem Teller sehen. „Komm man", sagte sie und machte das Licht aus, „das war wohl draußen. Die

die **Dachrinne, -n** gutter (of a roof)

bei Wind in the wind, when there's a wind
klappern to rattle, clatter

platschen to plop; splash der **Fußboden, ⸚** floor

halb im Schlaf half asleep

unecht not genuine, artificial ***klingen** to sound
gähnen to yawn ***kriechen** (s) to crawl, creep

vorsichtig cautiously **kauen** to chew
absichtlich intentionally **gleichmäßig** evenly, uniformly

regelmäßig regularly ***ein•schlafen** (s) to go to sleep

***schieben** to shove

die **Scheibe, -n** slice

ruhig *here:* It's *all right* for you to eat four.

ich kann es nicht *vertragen it doesn't agree with me

sich beugen über + *acc.* to bend over (something)

einem leid *tun to be sorry (Es tut **mir** leid. I am sorry about it. Er tut **mir** leid. I am sorry for him. Er tut **ihr** leid. She is sorry for him.) **auf seinen Teller** (talking) in the direction of his plate

doch oh yes (sure) *When a person has made a* negative *statement* (*using* **nicht, nie,** *etc.*), **doch** *may be used to contradict it; e.g.,* Er kommt **nicht.** (He's *not* coming.) **Doch!** (Oh yes, he is.)
Erst nach einer Weile only (not until) after awhile

Dachrinne schlägt immer bei Wind gegen die Wand. Es war sicher die Dachrinne. Bei Wind klappert sie immer."

Sie tappten sich beide über den dunklen Korridor zum Schlafzimmer. Ihre nackten Füße platschten auf den Fußboden.

„Wind ist ja", meinte er. „Wind war schon die ganze Nacht."

Als sie im Bett lagen, sagte sie: „Ja, Wind war schon die ganze Nacht. Es war wohl die Dachrinne."

„Ja, ich dachte, es wäre in der Küche. Es war wohl die Dachrinne." Er sagte das, als ob er schon halb im Schlaf wäre.

Aber sie merkte, wie unecht seine Stimme klang, wenn er log.

„Es ist kalt", sagte sie und gähnte leise, „ich krieche unter die Decke. Gute Nacht."

„Nacht", antwortete er und noch: „ja, kalt ist es schon ganz schön."

Dann war es still. Nach vielen Minuten hörte sie, daß er leise und vorsichtig kaute. Sie atmete absichtlich tief und gleichmäßig, damit er nicht merken sollte, daß sie noch wach war. Aber sein Kauen war so regelmäßig, daß sie davon langsam einschlief.

Als er am nächsten Abend nach Hause kam, schob sie ihm vier Scheiben Brot hin. Sonst hatte er immer nur drei essen können.

„Du kannst ruhig vier essen", sagte sie und ging von der Lampe weg. „Ich kann dieses Brot nicht so recht vertragen. Iß du man eine mehr. Ich vertrage es nicht so gut."

Sie sah, wie er sich tief über den Teller beugte. Er sah nicht auf. In diesem Augenblick tat er ihr leid.

„Du kannst doch nicht nur zwei Scheiben essen", sagte er auf seinen Teller.

„Doch. Abends vertrag ich das Brot nicht gut. Iß man. Iß man."

Erst nach einer Weile setzte sie sich unter die Lampe an den Tisch.

Exercises

Synthetic Exercises

Use the following elements to make complete sentences. Form the present tense, past tense, and present perfect tense, except where otherwise indicated.

A.

1. Halb drei / aufwachen / Frau / plötzlich
   Ich / einschlafen / erst spät
2. Frau / aufwachen / halb drei // und / überlegen // warum / sie / aufwachen (*1st and 2nd clause past, 3rd clause past perf.*)
3. In / Küche / stoßen / jemand / Stuhl
4. Sie / fahren / Hand / Bett // und / finden / leer
5. Sie / aufstehen // und / tappen / Wohnung / Küche (*pres. and past*)
6. Er / gehen / Küche // und / abschneiden / sich / Scheibe Brot
7. Bevor / sie / gehen / Bett // sie / saubermachen / Tischtuch
8. Frau / fühlen / Kälte / Fliesen // und / wegsehen / Teller (*pres. and past*)

B.

1. Mann / sagen // er / hören / etwas (*1st clause past, 2nd clause subj. II past*)
2. . . . Frauen / es / liegen / Haare (*pres.*)
3. Du / sollen / anziehen / Schuhe (*pres. and subj. II pres. and past*)
4. Sie / können / ertragen / es / nicht
5. Sie / ansehen / Mann / nicht // weil / sie / nicht / können / ertragen // daß / er / lügen (*pres. and past*)
6. Wenn / du / gehen / nicht / Bett // erkälten / du (*pres.*)

C.

1. Sie / heben / Hand / Lichtschalter
2. Sonst / sie / müssen / sehen / nach / Teller (*pres. and subj. II pres. and past*)
3. Sie / ausmachen / Licht // und / gehen / Bett
4. Dachrinne / schlagen / Wind / Wand (*pres. and past*)

5. Mann / sprechen // als ob / er / sein / halb / Schlaf (*1st clause past, 2nd clause subj. II pres.*)
6. Sie / merken // daß / seine Stimme / klingen / unecht // wenn / er / lügen (*pres. and past*)
7. Frau / gähnen // und / kriechen / unter / Decke
8. Frau / hören // daß / er / kauen / leise und vorsichtig (*pres. and past*)
9. Sie / atmen / gleichmäßig // damit / er / nicht / können merken // daß / sie / sein / noch / wach (*pres. and past*)
10. Kauen / sein / so regelmäßig // daß / Frau / einschlafen / davon

D.

1. Frau / hinschieben / Mann / vier Scheiben Brot
2. Sie / weggehen / Lampe
   Sie / müssen / weggehen / Lampe
3. Ich / können / vertragen / Brot / nicht (*pres. and past*)
   Frau / sagen // sie / können / vertragen / Brot / nicht (*1st clause past, 2nd clause subj. II pres.*)
4. Er / beugen / tief / über / Teller // und / aufsehen / nicht (*pres. and past*)
5. Mann / leid tun / Frau
6. Nach / Weile / Frau / setzen / Tisch

Express in German

A.

1. The woman woke up suddenly. I wake up every morning at six o'clock.
2. In the kitchen someone had bumped into a chair.
3. She ran her hand over the bed and found it empty.
4. It was so still because his breathing was missing.
5. She got up and groped through the apartment to the kitchen.
6. He had gone to the kitchen and had cut himself a slice of bread.
7. Before they went to bed she cleaned off the tablecloth.
8. She looked away from the plate.

B.

1. The man said that he had heard something.
2. During the day he often looked younger.
3. With (in the case of) women *it's due to* their hair.
4. You should have put on shoes.
5. She didn't look at him because she couldn't stand *his lying* (. . . that he was lying).

6. He caught cold.
7. He looked from one corner to the other.

C.

1. She raised her hand to the light switch.
2. Otherwise she would have had to look toward the plate.
3. She turned out the light and went to bed.
4. He said it as if he were half asleep.
5. She noticed that his voice sounded false whenever he lied.
6. She yawned and crept under the blanket.
7. She heard him chewing softly and cautiously.
8. She breathed deeply and evenly (regularly) so that he wouldn't notice that she was still awake.

D.

1. When he came home the next evening she pushed four slices of bread over to him.
2. She walked away from the lamp.
3. He bent over his plate and didn't look up.
4. She was sorry for him.
5. After a while she sat down at the table.

Questions

A.

1. Was ist um halb drei geschehen?
2. Was hat sie aufgeweckt?
3. Wie entdeckte sie, daß ihr Mann nicht da war? (**entdecken** to discover)
4. Warum war es zu still?
5. Was tat die Frau, als sie entdeckte, daß ihr Mann nicht da war?
6. Was lag auf dem Küchentisch?
7. Was hat ihr Mann getan?
8. Was machte die Frau immer abends?
9. Was fühlte die Frau?

B.

1. Wie versuchte der Mann zu erklären, daß er in der Küche war?
2. Wie sah der Mann aus?
3. Warum sah die Frau so alt aus?
4. Was hätte der Mann machen sollen? Warum?
5. Warum sah die Frau den Mann nicht an?
6. Wo sah der Mann hin?
7. Wie kam ihm die Frau zu Hilfe?

C.

1. Warum mußte sie das Licht ausmachen?
2. Was könnte den Mann geweckt haben?
3. **Wie** sprach der Mann?
4. Was merkte die Frau an seiner Stimme?
5. Was hörte sie nach einiger Zeit?
6. Was tat sie, als sie es hörte?
7. Was wird über das Kauen des Mannes gesagt?

D.

1. Was tat die Frau am nächsten Abend?
2. Was sagte sie, als sie es tat?
3. Was tat der Mann?
4. Was sagte er der Frau?
5. Was tat die Frau am Ende der Geschichte?

der **Stift, -e** pin, brad

die **Türklinke, -n** doorhandle **bestehen aus** + *dat.* to consist of

***zerfallen** (s) to fall apart (*or* to pieces)

die **Herrlichkeit, -en** splendor; *here:* the whole shebang, the whole works

die **Obertertia** upper third form, *approximately equivalent to the 9th grade* **bewährt** proven der **Grundsatz, ⸚e** principle

konstruieren to construct

mit . . . Energie with his customary concentrated energy; *lit.:* with the to him customary concentrated energy ***behalten** to keep, retain

klirren to clank, clatter der **Gang, ⸚e** hallway, corridor

Der Stift

Heinrich Spoerl

Eine Türklinke besteht aus zwei Teilen, einem positiven und einem negativen. Sie stecken ineinander, der kleine wichtige Stift hält sie zusammen. Ohne ihn zerfällt die Herrlichkeit.

Auch die Türklinke an der Obertertia ist nach diesem bewährten Grundsatz konstruiert. 5

Als der Lehrer für Englisch um zwölf in die Klasse kam und mit der ihm gewohnten konzentrierten Energie die Tür hinter sich schloß, behielt er den negativen Teil der Klinke in der Hand. Der positive Teil flog draußen klirrend auf den Gang. 10

Mit dem negativen Teil kann man keine Tür öffnen. Die Tür

viereckig square das **Loch, ⸚er** hole **desgleichen** likewise
den Atem *an•halten to hold one's breath
unbändig unrestrained, tremendous
römisch eins Roman numeral one **ausführlich** extensive, detailed
die **Untersuchung, -en** investigation **schuldbeladen** guilt-laden
der **Schüler, —** elementary- or high-school student
der **Versuch, -e** attempt, experiment
***herum•gehen** (s) to pass (*referring to time*)
weder . . . noch neither . . . nor
erfahren experienced
ausgerechnet expressly, of all things
sich *ein•lassen auf + *acc.* to get involved in
erwarten to expect das **Gegenteil, -e** opposite

gleichgültig indifferently das **Kapitel, —** chapter
der **Absatz, ⸚e** paragraph

verpufft fizzled, shot, "blown"
schlau clever, sly
auf einmal all at once, suddenly

trotzdem nonetheless, anyway

behaupten to maintain
der **Pflaumenkuchen, —** plum cakes or tarts

widerlegen to refute, disprove die **Folge, -n** consequence

***nach•geben** to give in **herum•stochern** to poke around
der **Schlüssel, —** key
hinein•klemmen to jam in
merkwürdig remarkable
krabbeln to grope **geschäftig** busily
feixen to give a snorting, half-repressed laugh; grin
unvorsichtigerweise incautiously

hat nur ein viereckiges Loch. Der negative Teil desgleichen.

Die Klasse hatte den Atem angehalten und bricht jetzt in unbändige Freude aus. Sie weiß, was kommt. Nämlich römisch eins: Eine ausführliche Untersuchung, welcher schuldbeladene Schüler den Stift herausgezogen hat. Und römisch zwei: Technische Versuche, wie man ohne Klinke die Tür öffnen kann. Damit wird die Stunde herumgehen. 5

Aber es kam nichts. Weder römisch eins noch römisch zwei. Professor Heimbach war ein viel zu erfahrener Pädagoge, um sich ausgerechnet mit seiner Obertertia auf kriminalistische Untersuchungen und technische Probleme einzulassen. Er wußte, was man erwartete, und tat das Gegenteil. 10

„Wir werden schon mal wieder herauskommen", meinte er gleichgültig. „Mathiesen, fang mal an. Kapitel siebzehn, zweiter Absatz." 15

Mathiesen fing an, bekam eine drei minus. Dann ging es weiter; die Stunde lief wie jede andere. Die Sache mit dem Stift war verpufft.

Aber die Jungens waren doch noch schlauer. Wenigstens einer von ihnen. Auf einmal steht der lange Klostermann auf und sagt, er muß raus. 20

„Wir gehen nachher alle."

Er muß aber trotzdem.

„Setz dich hin!"

Der lange Klostermann steht immer noch; er behauptet, er habe Pflaumenkuchen gegessen und so weiter. 25

Professor Heimbach steht vor einem Problem. Pflaumenkuchen kann man nicht widerlegen. Wer will die Folgen auf sich nehmen?

Der Professor gibt nach. Er stochert mit seinen Hausschlüsseln in dem viereckigen Loch an der Tür herum. Aber keiner läßt sich hineinklemmen. 30

„Gebt mal eure Schlüssel her." Merkwürdig, niemand hat einen Schlüssel. Sie krabbeln geschäftig in ihren Hosentaschen und feixen. 35

Unvorsichtigerweise feixt auch der Pflaumenkuchenmann.

der **Menschenkenner, —** keen observer of human nature

das **Gewissen** conscience   das **Grinsen** grinning

es schellt the bell rings

die **Anstalt, -en** institution, school   **schütten** to pour
der **Insasse, -n** inmate   **erlösen** to release, set free

der **Unterricht** instruction

das **Katheder, —** lecture platform

außerdem besides that

die **Backe, -n** cheek   **kauen an** + *dat.* to chew on

zart delicate   **schonen** to spare   **sich aus•ruhen** to rest
meinethalben (meinetwegen) for all I care
die **Bank, ⸚e** bench   **genügend** enough, satisfactorily
üben to practice

***empfehlen** to recommend

öd(e) desolate, dull   die **Langeweile** boredom
***kriechen** (s) to creep   **dösen** to doze
korrigieren to correct   das **Heft, -e** notebook
die **Putzfrau, -en** cleaning woman

stolz auf + *acc.* proud of
Klassenhiebe punishment administered by the class (*i.e.,* they jump him after class)

Professor Heimbach ist Menschenkenner. Wer Pflaumenkuchen gegessen hat und so weiter, der feixt nicht.

„Klostermann, ich kann dir nicht helfen. Setz dich ruhig hin. Die Rechnung kannst du dem schicken, der den Stift auf dem Gewissen hat. — Kebben, laß das Grinsen und fahr fort.“

Also wieder nichts.

Langsam, viel zu langsam, wird es ein Uhr. Es schellt. Die Anstalt schüttet ihre Insassen auf die Straße. Die Obertertia wird nicht erlöst. Sie liegt im dritten Stock am toten Ende eines langen Ganges.

Professor Heimbach schließt den Unterricht und bleibt auf dem Katheder. Die Jungens packen ihre Bücher. „Wann können wir gehen?“ — „Ich weiß nicht. Wir müssen eben warten.“

Warten ist nichts für Jungens. Außerdem haben sie Hunger. Der dicke Schrader hat noch ein Butterbrot und kaut mit vollen Backen; die andern kauen betreten an ihren Bleistiften.

„Können wir nicht vielleicht unsere Hausarbeiten machen?“

„Nein! Erstens werden Hausarbeiten, wie der Name sagt, zu Hause gemacht. Und zweitens habt ihr fünf Stunden hinter euch und müßt eure zarte Gesundheit schonen. Ruht euch aus; meinethalben könnt ihr schlafen.“

Schlafen in den Bänken hat man genügend geübt. Es ist wundervoll. Aber es geht nur, wenn es verboten ist. Jetzt, wo es empfohlen wird, macht es keinen Spaß und funktioniert nicht.

Eine öde Langeweile kriecht durch das Zimmer. Die Jungen dösen. Der Professor hat es besser: er korrigiert Hefte.

Kurz nach zwei kamen die Putzfrauen, die Obertertia konnte nach Hause, und der lange Klostermann, der das mit dem Stift gemacht hatte und sehr stolz darauf war, bekam Klassenhiebe.

Exercises

Synthetic Exercises

Use the following elements to make complete sentences. Form the present tense, past tense, and present perfect tense, except where otherwise indicated.

A.

1. Türklinke / bestehen / drei / Teile // positiv / negativ / Stift (*pres. and past*)
2. Stift / zusammenhalten / positiv / und / negativ / Teil
3. Ohne / Stift / zerfallen / Herrlichkeit (*pres. and subj. II pres.*)
4. Lehrer / kommen / Klasse // und / schließen / Tür / hinter . . .
5. Als / er / schließen / Tür // er / behalten / negativ / Teil / Hand (*past*)
6. Positiv / Teil / fliegen / Gang
7. Tür / und / negativ / Teil / haben / beide / nur / viereckig / Loch
8. Klasse / anhalten / Atem // und / ausbrechen / dann / unbändig / Freude (*pres. and past*)
9. „I" / sein // wer / herausziehen / Stift (*1st clause pres., 2nd clause pres. perf.*)
10. „II" / sind / technisch / Versuche // wie / man / können / öffnen / Tür / ohne / Klinke (*pres.*)

B.

1. Es / kommen / weder . . . noch . . .
2. Er / einlassen / sich / darauf / nicht
   Er / sein / zu intelligent // um / einlassen / sich / darauf (*final clause infinitival*)
   Professor Heimbach / sein / zu erfahren / Pädagoge // um / einlassen / sich / auf / kriminalistisch / Untersuchungen (*final clause infinitival*)
3. Professor / wissen // was / man / erwarten // und / er / tun / Gegenteil (*pres. and past*)
4. Auf einmal / aufstehen / Klostermann // und / sagen //

er / müssen / heraus (*1st and 2nd clauses past, final clause subj. II pres.*)

5. Professor Heimbach / sagen // daß / Klostermann / sollen / hinsetzen (*past*)
6. Professor / nachgeben / endlich // und / herumstochern / Hausschlüssel / Loch

C.

1. Keiner / lassen / hineinklemmen
2. Es / sein / merkwürdig // daß / niemand / haben / Schlüssel
3. Wer / essen / Plaumenkuchen // feixen / nicht (*pres.*)
4. Er / können / schicken / — / Rechnung // der / Stift / Gewissen / haben (*pres.*)
5. Er / lassen / Grinsen // und / fortfahren (*pres. and past*)
6. Obertertia / liegen / 3. Stock / tot / Ende / lang / Gang (*pres. and past*)
7. Professor Heimbach / schließen / Unterricht // und / bleiben / Katheder
8. Einer / kauen / Butterbrot // andere / Bleistifte (*pres. and past*)

D.

1. Hausarbeiten / gemacht (*passive*) / zu Hause
   Hausarbeiten / müssen / gemacht (*passive*) / zu Hause
2. Schüler / müssen / schonen / Gesundheit
3. Er / sagen // daß / Schüler / sollen / schlafen (*past*)
4. Es / gehen / nur // wenn / es / sein / verboten (*pres. and past*)
5. Sie / sein / stolz / Arbeit
   Sie / sein / stolz // daß / Arbeit / sein / gut
   Klostermann / sein / stolz // daß / er / herausziehen / Stift (*1st clause past, 2nd clause past perf.*)

Express in German

A.

1. A doorhandle consists of three parts: a positive (part), a negative (part), and a pin.
2. The two parts of a doorhandle fit into one another.
3. The pin holds the positive and the negative part(s) together.
4. Without the pin the whole shebang would fall apart.
5. The teacher came into class and shut the door behind him.
6. He was left holding (kept) the negative part in his hand.
7. It fell onto the floor (der **Boden**).

8. One can't open a door with the negative part because it has only a square hole.
9. The class held its breath.
10. Roman numeral I was who had pulled out the pin.
11. Roman numeral II was how one çan open a door without a doorhandle.

B.

1. He was too experienced a pedagogue to let himself in for criminological investigations.
2. He knew what they expected and did the opposite.
3. All at once Klostermann stood up and said he had to *leave*.
4. Professor Heimbach said that Klostermann should sit down.
5. Professor Heimbach didn't want to take the consequences on himself.
6. The professor gave in.

C.

1. None (of the keys) could be jammed in. (*Use* **lassen.**)
2. It was remarkable that no one had a key.
3. Anyone who has eaten something like that (**so etwas**) doesn't grin.
4. You can send the bill to the person who has the pin on his conscience.
5. Kebben! Stop grinning and continue.
6. It's on the fourth floor at the dead end of a long corridor.
7. The students chewed on their pencils.

D.

1. Homework has to be done at home.
2. He said that they should sleep.
3. It only works when it's forbidden.
4. He was proud of his work.
5. Klostermann was proud that he had pulled out the pin.

Questions

A.

1. Beschreiben Sie eine Türklinke!
2. Welche besondere Türklinke ist auch so konstruiert?
3. Was tat der Lehrer, als er in die Klasse kam?
4. Was ist mit der Klinke geschehen?
5. Warum kann man keine Tür mit dem negativen Teil der Klinke öffnen?

6. Was ist die Reaktion der Klasse?
7. Was soll römisch eins sein?
8. Römisch zwei?

B.

1. Was kam nicht?
2. Warum nicht?
3. Was tat der Lehrer?
4. Wie lief die Stunde?
5. Was sagt der lange Klostermann?
6. Warum steht der Professor vor einem Problem?
7. Was tut der Professor?

C.

1. Was ist merkwürdig?
2. Was tut Klostermann und warum hätte er es nicht tun sollen?
3. Wem kann Klostermann die Rechnung schicken?
4. Was geschieht um ein Uhr?
5. Wo liegt die Obertertia?
6. Woran kauen die Schüler?

D.

1. Was wollen die Schüler machen?
2. Warum dürfen sie es nicht?
3. Was empfiehlt Professor Heimbach?
4. Warum können die Schüler es nicht?
5. Was tut der Professor selbst?
6. Wie wird die Obertertia endlich erlöst?

der **Spitzname, -n** nickname
das **Original, -e** a "character," "some kind of nut"
fest•stellen to note, ascertain
die **Begeisterung, -en** enthusiasm
das **Loch, ¨-er** hole **handfest** sturdy
die **Sicherheitsnadel, -n** safety pin **verschämt** modestly
der **Anlaß, ¨-sse** occasion

frischgebügelt freshly pressed
drausgewachsen (*better:* **rausgewachsen**) outgrown
faule Witze corny jokes
schaukeln to swing das **Parkett** orchestra seats
glühend glowing die **Backe, -n** cheek

Päng

Heinrich Spoerl

Er hieß mit Spitznamen Spatz und war ein Original. Jeden Morgen, wenn er in die Klasse kam, stellten wir mit Begeisterung fest, daß er immer noch dieselbe Hose anhatte, mit demselben Loch, das durch eine handfeste schwarze Sicherheitsnadel verschämt zusammengehalten wurde. Er trug 5 sie auch bei festlichen Anlässen, zu Kaisers Geburtstag, und sogar im Theater zu Don Carlos, wo wir andern mit frischgebügelten und drausgewachsenen Konfirmationsanzügen erschienen. Aber während wir unsere faulen Witze machten und Programmblätter im Schaukelflug ins Parkett hinabschickten, 10 saß er mit glühenden Backen und bekam nasse Augen, als

verlangen to demand, desire

blank shiny **vertauschen** to exchange

***bestehen in** + *dat.* to consist in

die **Schlamperei** slovenliness der **Trotz** defiance
die **Auflehnung, -en** revolt, rebellion

beneiden to envy
die **Ursache, -n** cause
empört indignant **verprügeln** to beat someone up
daraufhin after that
das **Wahrzeichen, —** sign, characteristic that identifies a person, trademark (*in the slang sense*)
verzichten auf + *acc.* to forgo, do without, give (something) up
der **Tick, -s** whim, caprice der **Erzieher, —** teacher, educator

becheiden modestly, unassumingly
erhebend uplifting, elevating; (*here used figuratively*)

knochig bony **sich *erheben** to get up **sanft** soft, gentle

sich etwas erlauben to allow oneself something, get away with something
ausgesprochen pronounced, avowed der **Flegel, —** brat
***verbinden** to combine **geradezu** downright
***erschlagen** to slay, level (*in the slang sense*)
einem (*dat.*) **leicht *fallen** (s) to be easy for a person
sich gewöhnen an + *acc.* to get used to
die **Klassenarbeit, -en** exercise written in class, a test
die **Lösung, -en** solution, answer
das **Resultat, -e** result, outcome, answer

in Gedanken herausgerutscht it just slipped out (absentmindedly)
einem (*dat.*) **Spaß machen** to please someone
vielgebraucht much used
mündlich oral

Marquis Posa vom König Gedankenfreiheit verlangte. Und ging still nach Hause. Mit der Sicherheitsnadel im Hosenboden, die zur Feier des Tages gegen eine neue, blanke vertauscht war.

Man wird es schon gemerkt haben: Dieses Original war kein Lehrer, sondern ein Schüler. Darin bestand seine besondere Originalität. Und die Sicherheitsnadel am Hosenboden war keine Schlamperei, sondern Trotz. Eine innere Auflehnung gegen die bürgerliche Ordnung.

Wir waren furchtbar stolz auf ihn. Die andern Klassen beneideten uns. Und als er eines Tages aus unerklärbarer Ursache mit einer anderen Hose ohne Loch und Sicherheitsnadel kam, waren wir empört und haben ihn verprügelt. Das war dumm von uns. Denn beinahe hätte er daraufhin auf dieses Wahrzeichen verzichtet, aus Trotz gegen die Klasse. Aber der Trotz gegen die Schule war stärker.

Er hatte noch andere Ticks. Er redete unsere Erzieher niemals mit „Herr Professor" oder „Herr Oberlehrer" an. Sondern sagte mit kindlicher Stimme: Herr Lehrer. Dieses aber bescheiden in der dritten Person. Es war für uns ein erhebender Augenblick, wenn er sich manchmal in der Mathematikstunde mit seiner knochigen Länge erhob und mit sanfter Stimme erklärte: „Verzeihung, der Herr Lehrer hat einen Fehler gemacht."

Er konnte sich das erlauben. Dieses und anderes. Er war ein ausgesprochener Talentflegel. Flegel waren wir alle, aber er verband damit eine geradezu pathologische Intelligenz, mit der er alles erschlug. Er war einer von denen, die es später im Leben schwer haben, weil ihnen in der Jugend alles zu leicht fiel.

Nur an sein Päng konnte die Schule sich nicht gewöhnen.

Er hatte in einer mathematischen Klassenarbeit eine besonders elegante Lösung gefunden und in der Freude seines Herzens hinter das Resultat das Wort „Päng" geschrieben: „$x = y(a - b)$. Päng."

Es war ihm ganz in Gedanken herausgerutscht. Aber als es dastand, machte es ihm Spaß, und er ließ es stehen.

Päng war bei uns ein vielgebrauchtes Wort. Es hieß soviel wie basta oder hurra oder was-sagst-du-nun. Im mündlichen

die **Ausdrucksweise, -n** method of expression
fehl am Platze sein to be out of place
sich begnügen mit to be satisfied with, content oneself with
wohlwollend benevolent, well-meaning der **Strich, -e** line

mithin consequently, therefore
mißbilligen to disapprove
der **Kreis, -e** circle
der **Klecks, -e** stain, inkblot der **Schmutzfleck, -e** dirty spot

einem die Antwort schuldig *bleiben (s) to not give someone an answer ("owe" someone the answer) **beharrlich** persistently, repeatedly
zum Äußersten *greifen to take extreme measures

Respekt haben vor + *dat.* to have respect for
hin•krakeln to scribble down (something)
glückstrahlend beaming with happiness
***halten für** + *acc.* to consider (it to be)
die **Auszeichnung, -en** distinction, honor
die **Stufenleiter, —** stepladder

der **Eintrag, ⸚e** entry (of his name in the class book)

die Achseln zucken to shrug one's shoulders

***unterlassen** to abstain (from doing), give up (doing something)
doch sure, yes

Unterricht konnte man es durchgehen lassen, wenn es auch keine mathematische Ausdrucksweise war. In einer Klassenarbeit war es fehl am Platze. Unser Mathematiklehrer nahm es nicht tragisch und begnügte sich damit, durch das Päng einen wohlwollenden roten Strich zu machen. 5

Das hätte er lieber nicht tun sollen. In der nächsten Arbeit stand es wieder:

„Der Schnellzug braucht mithin sieben Stunden sechsundvierzig Minuten — Päng." Diesmal gab es einen mißbilligenden roten Kreis um das Wort. Einen Kreis, wie man ihn sonst um 10 einen Klecks oder Schmutzfleck bekommt.

Die nächste Arbeit endigte wieder mit Päng. Da wurde der Mathematiker böse und schrieb dick und rot an den Rand: „Was heißt Päng?"

Unser Spatz blieb die Antwort schuldig. Er schrieb sein 15 „Päng" beharrlich hinter alle richtigen Lösungen. Und richtig waren seine Lösungen immer. Und der Mathematiklehrer griff zum Äußersten und schrieb an den Rand: „U.d.V."

„U.d.V." war gefürchteter als Arrest. U.d.V. hieß: Unterschrift des Vaters und bedeutete häusliche Katastrophen. 20

Nicht bei Spatz. Einen Vater hatte er nicht, und seine Mutter hatte vor ihm, dem höheren Schüler, einen grenzenlosen Respekt. Sie krakelte glückstrahlend ihren Namen dahin, wo ihr Sohn mit dem Finger zeigte, und hielt es für eine besondere Auszeichnung. 25

Dann begann die Stufenleiter der Strafen:

Eintrag ins Klassenbuch.
Eine Stunde Arrest.
Zwei Stunden Arrest.
Schließlich Konferenz. 30

Die Konferenz fragte, warum er das tue. Er zuckte die Achseln.

Ob er das nicht unterlassen könne?

Doch.

Er tat es weiter. Nur ein einziges Mal schrieb er kein Päng 35

der **Turm, ⸚e** tower, steeple
heraus•rechnen to figure out, calculate
falsch heraus•rechnen to miscalculate
die **Ausnahme, -n** exception
bestätigen to confirm, make valid (prove)

sich etwas *bieten *lassen to put up with something die **Güte** kindness
einen Vergleich *schließen to make an agreement
gelungen successful
unterdrücken to suppress das **Ausrufungszeichen, —** exclamation point
verstattet permitted, allowed

unwiderstehlich irresistible
der **Drang, ⸚e** urge, impulse **gehorchen** to obey
etwas gewähren lassen to indulge something, let it do as it wants
der **Unsinn** nonsense

im Grunde genommen at base

glauben an + *acc.* to believe in
sie tat nur so it only acted that way, pretended to

hinter die Lösung; das war, als er die Höhe eines Turmes mit 0,0000073 Meter herausgerechnet hatte und zu faul war, den Fehler zu suchen. Aber das war nur eine Ausnahme, die die Regel bestätigte.

Das beharrliche „Päng" kann sich keine Schule auf die Dauer bieten lassen. Man versuchte es mit Güte. Man war Pädagoge, Biologe, Psychologe. Man schloß mit ihm einen Vergleich: Wenn er seine Freude über eine gelungene Lösung durchaus nicht unterdrücken könne, dann soll ihm ein Ausrufungszeichen verstattet sein.

Unter der nächsten Arbeit stand wieder Päng! Aber Päng mit einem Ausrufungszeichen.

Da erkannte man, daß der Schüler einem unwiderstehlichen Drang gehorchte. Und ließ ihn gewähren. Lieber richtige Lösungen mit Päng als den pänglosen Unsinn, den die andern schrieben.

Im Grunde genommen: Es war gar kein Tick von ihm, kein unwiderstehlicher Drang. Sondern Trotz. Ein Stück Revolution.

Im Grunde genommen: Die Schule glaubte auch gar nicht an einen Tick. Sie tat nur so. Sie war die Klügere. Päng.

Exercises

Synthetic Exercises

Use the following elements to make complete sentences. Form the present tense, past tense, and present perfect tense, except where otherwise indicated.

A.

1. Er / heißen / Spitzname / Spatz // und / sein / Original
   Wie / heißen / er / Vorname / ? (*pres. and past*)
2. Wenn / er / kommen / Klasse / Schüler / feststellen / Begeisterung // daß / er / anhaben / dieselb- / Hose
3. Loch / zusammengehalten (*passive*) / handfest / Sicherheitsnadel

Loch / müssen / zusammengehalten (*passive*) / handfest / Sicherheitsnadel

4. Er / tragen / Hose / auch / festlich / Anlässe // wo / andere Schüler / erscheinen / frischgebügelt / Konfirmationsanzüge (*pres. and past*)
5. Während / ander- / Schüler / machen / Witze // und / hinabschicken / Programmblätter / Parkett // er / sitzen / glühend / Backen (*pres. and past*)
6. Er / bekommen / naß / Augen // als / Posa / verlangen / Gedankenfreiheit / König (*past*)
7. Man / vertauschen (*active*) / Sicherheitsnadel / eine neue, blanke
   Sicherheitsnadel / Hosenboden / vertauscht (*passive*) / eine neue, blanke

B.

1. Man / merken / es (*pres., past, fut., pres. perf., past perf., and fut. perf.*)
2. Das Original / sein / kein / Lehrer // Schüler (*pres. and past*)
3. Besonder- / Originalität / bestehen / darin // daß / er / sein / Schüler (*pres. and past*)
4. Sicherheitsnadel / sein / kein / Schlamperei // Trotz // Auflehnung / bürgerlich / Ordnung (*pres. and past*)
5. Ander- / Schüler / sein / stolz / Junge
6. Sie / sein / empört // und / verprügeln / Junge // als / er / ankommen / ein / Tag / ander- / Hose (*past*)
7. . . . Trotz / Klasse / er / beinahe / verzichten / Wahrzeichen
8. Trotz / Schule / sein / stärker

C.

1. Er / anreden / Erzieher / niemals / „Herr Professor" // sondern / sagen / kindlich / Stimme / Herr Lehrer (*pres. and past*)
2. Er / erheben / Mathematikstunde // und er / erklären // daß / Lehrer / machen / Fehler (*past, final clause past perf.*)
3. Er / können / erlauben / dies- / und / ander-
4. Er / sein / Flegel // aber / er / verbinden / — / pathologisch / Intelligenz (*pres. and past*)
5. Mit / dies- / pathologisch / Intelligenz / er / erschlagen / alles
6. Es / fallen / Mann / leicht
   Weil / alles / fallen / Junge / leicht // er / haben / es / später / im Leben / schwer (*1st clause pres., 2nd clause fut.*)

7. Schule / gewöhnen / nicht / sein Päng
   Schule / können / gewöhnen / nicht / sein Päng
8. Als / er / finden / elegant / Lösung // er / schreiben / Päng / hinter / Resultat (*past*)
9. Wort / Päng / machen / Junge / Spaß // und / er / lassen / es / stehen

D.

1. Man / können / es / in / mündlich / Unterricht / durchgehen lassen
2. Mathematiklehrer / nicht / nehmen / es / tragisch // sondern / begnügen / damit // rot / Strich / zu machen (*pres. and past*)
3. Lehrer / sollen / machen / kein / rot / Strich (*indic. pres. and subj. II pres. and past*)
4. Diesmal / es / geben / mißbilligend / Kreis / Wort
5. Mathematiklehrer / werden / böse // und / schreiben / Rand / „Was heißt Päng?"

E.

1. Spatz / bleiben / Antwort / schuldig (*pres. and past*)
2. Junge / schreiben / Päng / hinter all- / richtig / Lösungen
3. Mutter / haben / Respekt / Sohn
4. Mutter / halten / es / besonder- / Auszeichnung
5. Junge / zucken / Achseln // als / man / fragen // warum / er / tun / das (*past, final clause subj. I pres.*)
6. Nur / einzig / Mal // als / er / ausrechnen / etwas / falsch // er / weglassen / Wort / Päng (*main clause past,* als-*clause past perf.*)
7. Das / sein / Ausnahme // — / bestätigen / Regel (*pres. and past*)

F.

1. Wenn / er / nicht / können / unterdrücken / Freude // er / sollen / schreiben / Ausrufungszeichen (*pres.*)
2. Unter / Arbeit / stehen / Päng / Ausrufungszeichen (*pres. and past*)
3. Da / man / erkennen // daß / Schüler / gehorchen / unwiderstehlich / Drang (*past*)
4. Lieber / richtig / Lösung // als / pänglos / Unsinn (*acc.*)
5. Schule / glauben / nicht / Drang // sie / tun / nur so (*pres. and past*)

Express in German

A.

1. His nickname was Spatz, and he was a character.
2. He always wears the same pants.
3. The hole in his pants was held together by a sturdy black safety pin.
4. He wore these pants on festive occasions, whereas (**während**) the other pupils appeared in freshly pressed confirmation suits.
5. While the other pupils told bad jokes, he sat there with glowing cheeks.
6. The safety pin was exchanged for a shiny new one.
7. He will have noticed that already.

B.

1. This character was not a teacher but a pupil.
2. His particular originality *consisted in the fact that* he was a pupil.
3. The safety pin in his pants was not sloppiness but defiance—defiance against *middle-class standards.*
4. We were terribly proud of him, and the other classes envied us.
5. One day he wore different pants—without a hole.
6. We were indignant, and we beat him up.
7. That was stupid of us, because he almost gave up this trademark *to spite the class.*

C.

1. He never addressed our teachers as "Herr Professor" or "Herr Oberlehrer."
2. He said "Herr Lehrer" and addressed them in the third person.
3. He stood up in our math class and explained: "Excuse me. The teacher has made a mistake."
4. He could *get away with* this and other things because he was a (**richtiger**) talented brat.
5. We were all brats, but he combined *with this* a pathological intelligence.
6. He is one of those who will have difficulty (have *it* rough) later in life.
7. The school could not get used to his "Päng."
8. He had found an especially elegant solution and had written the word "Päng" behind it (**dahinter**).
9. The word "Päng" amused him, and he left it there.

D.

1. "Päng" is a much used word.
2. "Päng" was out of place in a class test.
3. The math teacher didn't take it seriously and drew (made) a red line through the word.
4. But he shouldn't have done that.
5. The next time, there was a disapproving red circle around the word.
6. The math teacher became angry and wrote in the margin: "What does 'Päng' mean?"

E.

1. He wrote his "Päng" behind every correct answer.
2. The teacher *took extreme measures* and wrote F.S. (father's signature) in the margin.
3. His mother had boundless respect for her son.
4. She scribbled her name (down) and considered it a special honor.
5. Once, when he *had miscalculated* something, he didn't write a "Päng" behind the answer.
6. But this was the exception that proved the rule.

F.

1. The boy shrugged his shoulders when they asked him why he always did that.
2. If you can't suppress your joy, then write an exclamation point behind the solution.
3. He wrote "Päng" beneath his next class test—but with an exclamation point.
4. The school did not believe in an irresistible urge. It only pretended to.

Questions

A.

1. Was stellten die Schüler jeden Morgen fest?
2. Beschreiben Sie diese Hose!
3. Wann trug er diese Hose?
4. Wie benahmen sich die meisten Schüler im Theater?
5. Was tat der Spatz als Marquis von Posa Gedankenfreiheit verlangte?
6. Wie war er zur Feier des Tages angezogen?

B.

1. Worin bestand seine besondere Originalität?
2. Warum trug er eine Sicherheitsnadel?
3. Wie reagierten die Schüler auf ihren Spatz?
4. Warum waren die Schüler eines Tages empört?
5. Wie hat der Spatz auf die Prügel reagiert?
6. Warum hat er die Sicherheitsnadel weitergetragen?

C.

1. Wie redete er die Erzieher an?
2. Was sagte der Spatz dem Lehrer manchmal mit sanfter Stimme?
3. Warum konnte er sich vieles erlauben?
4. Womit verband er dieses Talent?
5. Warum würde er es später im Leben schwer haben?
6. Woran konnte die Schule sich nicht gewöhnen?
7. Wann hatte er das Wort „Päng" zum ersten Mal geschrieben?

D.

1. Was bedeutet „Päng"?
2. Wo konnte man das Wort „Päng" ruhig benutzen?
3. Wo durfte man das Wort „Päng" nicht gebrauchen?
4. Wie reagierte der Lehrer das erste Mal auf das Wort „Päng"?
5. Das zweite Mal?
6. Das dritte Mal?

E.

1. Wo schrieb der Spatz sein „Päng" hin?
2. Warum kam das Wort „Päng" fast immer in seiner Arbeit vor?
3. Warum fürchteten die Schüler die „Unterschrift des Vaters"?
4. Warum hatte der Spatz keine Angst vor häuslichen Katastrophen?
5. Was dachte die Mutter, als sie ihren Namen hinschrieb?
6. Warum hat er das Wort „Päng" einmal weggelassen?
7. Wozu war er zu faul?

F.

1. Wie hat man den Spatz behandelt?
2. Was soll er tun, wenn er seine Freude nicht unterdrücken kann?
3. Wie sah die nächste Arbeit aus?
4. Was erkannte die Schule dann?
5. Was war noch schlimmer als Päng?
6. Was bedeutete sein Trotz?
7. Wieso war die Schule die Klügere?

unwürdig unworthy, shameful

die **Lithographenanstalt, -en** lithography shop
badisch *adj. referring to Baden, Germany*
der **Gehilfe, -n** apprentice
besorgen to take care of, look after (*only with things*)
der **Haushalt** household
betreuen to take care of, look after (*with people or things*)
wacklig rickety
mager thin, lean
das **Eidechsenauge, -n** lizard's eye **kärglich** scant
***groß•ziehen** to raise, bring up

Die unwürdige Greisin

Bertolt Brecht

Meine Großmutter war zweiundsiebzig Jahre alt, als mein Großvater starb. Er hatte eine kleine Lithographenanstalt in einem badischen Städtchen und arbeitete darin mit zwei, drei Gehilfen bis zu seinem Tod. Meine Großmutter besorgte ohne Magd den Haushalt, betreute das alte, wacklige Haus und kochte für die Mannsleute und Kinder. 5

Sie war eine kleine magere Frau mit lebhaften Eidechsenaugen, aber langsamer Sprechweise. Mit recht kärglichen Mitteln hatte sie fünf Kinder großgezogen — von den sieben, die sie geboren hatte. Davon war sie mit den Jahren kleiner geworden. 10

Reprinted by permission of Gebrüder Weiß Verlag, Berlin, from *Kalendergeschichten* by Bertolt Brecht.

***weg•ziehen** (s) to move away

der **Buchdrucker, —** printer **sich zu•legen** to acquire

sich abweisend *verhalten to react, behave, negatively (**abweisen** to refuse something) der **Vorschlag, ⸚e** suggestion
dazu imstande sein to be capable of it, able to do it
die **Unterstützung, -en** support
längst for a long time **veraltet** obsolete, out-of-date

auf etwas *ein•gehen (s) to agree, take something up, go into a subject (more deeply) ***nach•geben** to yield, give in
schließlich after all, finally

die **Geschwister** (*pl.*) brother(s) and sister(s)
mitunter occasionally, every now and then
berichten to inform, report
das **Begräbnis, -se** burial, funeral
***erfahren** to hear, find out

enttäuscht disappointed
sich weigern to refuse

***aufrecht•halten** to maintain
die **Verbindung, -en** contact

die **Schwiegertochter, ⸚** daughter-in-law
Beereneinkochen (*infinitive used as noun*) putting up preserves
***entnehmen** to take (it) (**Ich entnahm einigen ihrer Äußerungen ....** I took it from some of her remarks ....)
sich *enthalten to resist der **Bericht, -e** report
das **Ausrufezeichen, —** exclamation point
***an•bringen** to put in, add on die **Anfrage, -n** inquiry

Von den Kindern gingen die zwei Mädchen nach Amerika, und zwei der Söhne zogen ebenfalls weg. Nur der Jüngste, der eine schwache Gesundheit hatte, blieb im Städtchen. Er wurde Buchdrucker und legte sich eine viel zu große Familie zu.

So war sie allein im Haus, als mein Großvater gestorben war. Die Kinder schrieben sich Briefe über das Problem, was mit ihr zu geschehen hatte. Einer konnte ihr bei sich ein Heim anbieten, und der Buchdrucker wollte mit den Seinen zu ihr ins Haus ziehen. Aber die Greisin verhielt sich abweisend zu den Vorschlägen und wollte nur von jedem ihrer Kinder, das dazu imstande war, eine kleine geldliche Unterstützung annehmen. Die Lithographenanstalt, längst veraltet, brachte fast nichts beim Verkauf, und es waren auch Schulden da.

Die Kinder schrieben ihr, sie könne doch nicht ganz allein leben, aber als sie darauf überhaupt nicht einging, gaben sie nach und schickten ihr monatlich ein bißchen Geld. Schließlich, dachten sie, war ja der Buchdrucker im Städtchen geblieben.

Der Buchdrucker übernahm es auch, seinen Geschwistern mitunter über die Mutter zu berichten. Seine Briefe an meinen Vater, und was dieser bei einem Besuch und nach dem Begräbnis meiner Großmutter zwei Jahre später erfuhr, geben mir ein Bild von dem, was in diesen zwei Jahren geschah.

Es scheint, daß der Buchdrucker von Anfang an enttäuscht war, daß meine Großmutter sich weigerte, ihn in das ziemlich große und nun leerstehende Haus aufzunehmen. Er wohnte mit vier Kindern in drei Zimmern. Aber die Greisin hielt überhaupt nur eine sehr lose Verbindung mit ihm aufrecht. Sie lud die Kinder jeden Sonntagnachmittag zum Kaffee, das war eigentlich alles.

Sie besuchte ihren Sohn ein- oder zweimal in einem Vierteljahr und half der Schwiegertochter beim Beereneinkochen. Die junge Frau entnahm einigen ihrer Äußerungen, daß es ihr in der kleinen Wohnung des Buchdruckers zu eng war. Dieser konnte sich nicht enthalten, in seinem Bericht darüber ein Ausrufezeichen anzubringen.

Auf eine schriftliche Anfrage meines Vaters, was die alte

es handelt sich um it is a case of, it is a question of, it concerns
elende, schlecht gelüftete Lokale miserable, poorly ventilated places (joints) die **Kegelbahn, -en** bowling alley
ein•richten to set up das **Plakat, -e** poster

Halbwüchsige (Halbstarke) teenagers (*neg.*)
***auf•fallen** (s) to attract attention

***bedenken** to consider, think about
unter den Schleckereien rangierte was considered a self-indulgent "goody"

Verkehr pflegen to keep up contact

dafür on the other hand
der **Flickschuster, —** shoe repairman
verrufen disreputable
das **Gäßchen, — (die Gasse, -n)** alley (little, narrow street)
der **Handwerksbursche, -n** workman

Er hat es zu etwas gebracht. He made a go of it (was successful).
Er hat es zu nichts gebracht. He was a failure (botched it).

an•deuten to indicate
auf etwas (*acc.***) *hinweisen** to point out something
der **Bescheid** reply, decision
das **Gespräch, ⁻̈e** conversation

etwa about, approximately

der **Gasthof, ⁻̈e** restaurant, inn
die **Nachricht, -en** news, information

Frau denn jetzt so mache, antwortete er ziemlich kurz, sie besuche das Kino.

Man muß verstehen, daß das nichts Gewöhnliches war, jedenfalls nicht in den Augen ihrer Kinder. Das Kino war vor dreißig Jahren noch nicht, was es heute ist. Es handelte sich um elende, 5 schlecht gelüftete Lokale, oft in alten Kegelbahnen eingerichtet, mit schreienden Plakaten vor dem Eingang, auf denen Morde und Tragödien der Leidenschaft angezeigt waren. Eigentlich gingen nur Halbwüchsige hin oder, des Dunkels wegen, Liebespaare. Eine einzelne alte Frau mußte dort sicher auffallen. 10

Und so war noch eine andere Seite dieses Kinobesuches zu bedenken. Der Eintritt war gewiß billig, da aber das Vergnügen ungefähr unter den Schleckereien rangierte, bedeutete es „hinausgeworfenes Geld". Und Geld hinauszuwerfen, war nicht respektabel. 15

Dazu kam, daß meine Großmutter nicht nur mit ihrem Sohn am Ort keinen regelmäßigen Verkehr pflegte, sondern auch sonst niemanden von ihren Bekannten besuchte oder einlud. Sie ging niemals zu den Kaffeegesellschaften des Städtchens. Dafür besuchte sie häufig die Werkstatt eines Flickschusters in einem 20 armen und sogar etwas verrufenen Gäßchen, in der, besonders nachmittags, allerlei nicht besonders respektable Existenzen herumsaßen, stellungslose Kellnerinnen und Handwerksburschen. Der Flickschuster war ein Mann in mittleren Jahren, der in der ganzen Welt herumgekommen war, ohne es zu etwas gebracht 25 zu haben. Es hieß auch, daß er trank. Er war jedenfalls kein Verkehr für meine Großmutter.

Der Buchdrucker deutete in einem Brief an, daß er seine Mutter darauf hingewiesen, aber einen recht kühlen Bescheid bekommen habe. „Er hat etwas gesehen", war ihre Antwort, und 30 das Gespräch war damit zu Ende. Es war nicht leicht, mit meiner Großmutter über Dinge zu reden, die sie nicht bereden wollte.

Etwa ein halbes Jahr nach dem Tod des Großvaters schrieb der Buchdrucker meinem Vater, daß die Mutter jetzt jeden zweiten Tag im Gasthof esse. 35

Was für eine Nachricht!

Zeit ihres Lebens in her whole life

der **Rest, -e** what's left over; *here:* leftovers

Was ist in sie gefahren? What's gotten into her?

im Begriffe, auszugehen just about to go out

ausgeglichener Stimmung (in an) even-tempered (mood)
aufgekratzt wound up, excited, expansive
sich erkundigen nach + *dat.* to inquire about
allerdings to be sure **eingehend** in detail
die **Kirsche, -n** cherry

auf etwas hin•deuten to allude to, refer to

der **Gottesacker, ̈-** (der **Friedhof, ̈-e**) cemetery

das **Grab, ̈-er** grave

beiläufig casually, in passing

klagen (über + *acc.*) to complain (about)

in diesen Löchern in these "holes" (*referring to the rooms of his place*)

nur noch fünf Stunden *only* five hours *left* (*implies he had more before*)

macht mir . . . zu schaffen keeps me hopping, gives me something to worry about

***ab•schließen** to break off

sich neigen to draw to a close

Großmutter, die Zeit ihres Lebens für ein Dutzend Menschen gekocht und immer nur die Reste aufgegessen hatte, aß jetzt im Gasthof! Was war in sie gefahren?

Bald darauf führte meinen Vater eine Geschäftsreise in die Nähe, und er besuchte seine Mutter.

Er traf sie im Begriff, auszugehen. Sie nahm den Hut wieder ab und setzte ihm ein Glas Rotwein mit Zwieback vor. Sie schien ganz ausgeglichener Stimmung zu sein, weder besonders aufgekratzt noch besonders schweigsam. Sie erkundigte sich nach uns, allerdings nicht sehr eingehend, und wollte hauptsächlich wissen, ob es für die Kinder auch Kirschen gäbe. Da war sie ganz wie immer. Die Stube war natürlich peinlich sauber, und sie sah gesund aus.

Das einzige, was auf ihr neues Leben hindeutete, war, daß sie nicht mit meinem Vater auf den Gottesacker gehen wollte, das Grab ihres Mannes zu besuchen. „Du kannst allein hingehen", sagte sie beiläufig, „es ist das dritte von links in der elften Reihe. Ich muß noch wohin."

Der Buchdrucker erklärte nachher, daß sie wahrscheinlich zu ihrem Flickschuster mußte. Er klagte sehr.

„Ich sitze hier in diesen Löchern mit den Meinen und habe nur noch fünf Stunden Arbeit und schlecht bezahlt, dazu macht mir mein Asthma wieder zu schaffen, und das Haus in der Hauptstraße steht leer."

Mein Vater hatte im Gasthof ein Zimmer genommen aber erwartete, daß er zum Wohnen doch von seiner Mutter eingeladen werden würde, wenigstens *pro forma,* aber sie sprach nicht davon. Und sogar als das Haus voll gewesen war, hatte sie immer etwas dagegen gehabt, daß er nicht bei ihnen wohnte und dazu das Geld für das Hotel ausgab!

Aber sie schien mit ihrem Familienleben abgeschlossen zu haben und neue Wege zu gehen, jetzt, wo ihr Leben sich neigte. Mein Vater, der eine gute Portion Humor besaß, fand sie „ganz munter" und sagte meinem Onkel, er solle die alte Frau machen lassen, was sie wolle.

Aber was wollte sie?

die **Bregg** (*Brecht defines this in the next sentence.*)
der **Ausflugsort, -e** place for an outing

hochrädrig high-wheeled das **Pferdegefährt, -e** horse-drawn vehicle

mieten to rent, hire
mit einer wegwerfenden Handbewegung with a disparaging gesture
ab•lehnen to refuse, decline

das **Pferderennen, —** horse race

einen Arzt *hinzu•ziehen to call in a doctor

schwachsinnig simple-minded
das **Küchenmädchen, —** scullery maid

der **Krüppel, —** cripple
einen Narren an ihr gefressen zu haben was foolishly attracted to her

sich heraus•stellen als to turn out to be
das **Gerücht, -e** rumor

verzweifelt in desperation

handeln von + *dat.* to deal with, be about
die **Aufführung, -en** *here:* conduct, behavior
***her•geben** *here:* to yield (information)

der **Gastwirt, -e** innkeeper **mit Augenzwinkern** with a wink
zu•raunen to whisper

keinesfalls by no means **üppig** luxuriously **zu sich *nehmen** to eat

Das nächste, was berichtet wurde, war, daß sie eine Bregg bestellt hatte und nach einem Ausflugsort gefahren war, an einem gewöhnlichen Donnerstag. Eine Bregg war ein großes, hochrädriges Pferdegefährt mit Plätzen für ganze Familien. Einige wenige Male, wenn wir Enkelkinder zu Besuch gekommen waren, hatte Großvater die Bregg gemietet. Großmutter war immer zu Hause geblieben. Sie hatte es mit einer wegwerfenden Handbewegung abgelehnt, mitzukommen.

Und nach der Bregg kam die Reise nach K., einer größeren Stadt, etwa zwei Eisenbahnstunden entfernt. Dort war ein Pferderennen, und zu dem Pferderennen fuhr meine Großmutter.

Der Buchdrucker war jetzt durch und durch alarmiert. Er wollte einen Arzt hinzugezogen haben. Mein Vater schüttelte den Kopf, als er den Brief las, lehnte aber die Hinzuziehung eines Arztes ab.

Nach K. war meine Großmutter nicht allein gefahren. Sie hatte ein junges Mädchen mitgenommen, eine halb Schwachsinnige, wie der Buchdrucker schrieb, das Küchenmädchen des Gasthofs, in dem die Greisin jeden zweiten Tag speiste.

Dieser „Krüppel" spielte von jetzt ab eine Rolle.

Meine Großmutter schien einen Narren an ihr gefressen zu haben. Sie nahm sie mit ins Kino und zum Flickschuster, der sich übrigens als Sozialdemokrat herausgestellt hatte, und es ging das Gerücht, daß die beiden Frauen bei einem Glas Rotwein in der Küche Karten spielten.

„Sie hat dem Krüppel jetzt einen Hut gekauft mit Rosen drauf", schrieb der Buchdrucker verzweifelt. „Und unsere Anna hat kein Kommunionskleid!"

Die Briefe meines Onkels wurden ganz hysterisch, handelten nur von der „unwürdigen Aufführung unserer lieben Mutter" und gaben sonst nichts mehr her. Das Weitere habe ich von meinem Vater.

Der Gastwirt hatte ihm mit Augenzwinkern zugeraunt: „Frau B. amüsiert sich ja jetzt, wie man hört."

In Wirklichkeit lebte meine Großmutter auch diese letzten Jahre keinesfalls üppig. Wenn sie nicht im Gasthof aß, nahm sie

die **Eierspeise, -n** *type of scrambled eggs*
sich leisten to treat oneself

jedoch however
eine Hypothek *auf•nehmen to take out a mortgage

genau betrachtet when one looks at it closely

die **Verpflichtung, -en** obligation
bescheiden modest **ausreichend** sufficient

er brachte in Erfahrung he learned, found out
gestatten to permit, allow

der **Pfarrer, —** minister
die **Vereinsamung** loneliness, state of isolation
einem Gesellschaft leisten to keep someone company
behaupten to maintain, assert
Bei dem Flickschuster verkehrten The shoemaker's place was frequented by **anscheinend** apparently **lauter** only

***los•ziehen über** + *acc.* to run something down, criticize
mitunter from time to time

unvermittelt suddenly, abruptly

meist nur ein wenig Eierspeise zu sich, etwas Kaffee und vor allem ihren geliebten Zwieback. Dafür leistete sie sich einen billigen Rotwein, von dem sie zu allen Mahlzeiten ein kleines Glas trank. Das Haus hielt sie sehr rein, und nicht nur die Schlafstube und die Küche, die sie benutzte. Jedoch nahm sie darauf ohne Wissen ihrer Kinder eine Hypothek auf. Es kam niemals heraus, was sie mit dem Geld machte. Sie scheint es dem Flickschuster gegeben zu haben. Er zog nach ihrem Tod in eine andere Stadt und soll dort ein größeres Geschäft für Maßschuhe eröffnet haben.

Genau betrachtet lebte sie hintereinander zwei Leben. Das eine, erste, als Tochter, als Frau und als Mutter, und das zweite einfach als Frau B., eine alleinstehende Person ohne Verpflichtungen und mit bescheidenen, aber ausreichenden Mitteln. Das erste Leben dauerte etwa sechs Jahrzehnte, das zweite nicht mehr als zwei Jahre.

Mein Vater brachte in Erfahrung, daß sie im letzten halben Jahr sich gewiße Freiheiten gestattete, die normale Leute gar nicht kennen. So konnte sie im Sommer früh um drei Uhr aufstehen und durch die leeren Straßen des Städtchens spazieren, das sie so für sich ganz allein hatte. Und den Pfarrer, der sie besuchen kam, um der alten Frau in ihrer Vereinsamung Gesellschaft zu leisten, lud sie, wie allgemein behauptet wurde, ins Kino ein!

Sie war keineswegs vereinsamt. Bei dem Flickschuster verkehrten anscheinend lauter lustige Leute, und es wurde viel erzählt. Sie hatte dort immer eine Flasche ihres eigenen Rotweines stehen, und daraus trank sie ein Gläschen, während die andern erzählten und über die würdigen Autoritäten der Stadt loszogen. Dieser Rotwein blieb für sie reserviert, jedoch brachte sie mitunter der Gesellschaft stärkere Getränke mit.

Sie starb ganz unvermittelt, an einem Herbstnachmittag in ihrem Schlafzimmer, aber nicht im Bett, sondern auf dem Holzstuhl am Fenster. Sie hatte den „Krüppel" für den Abend ins Kino eingeladen, und so war das Mädchen bei ihr, als sie starb. Sie war vierundsiebzig Jahre alt.

an•fertigen to make
winzig tiny die **Falte, -n** fold, wrinkle, furrow
schmal thin, narrow
kleinlich petty die **Knechtschaft** bondage, servitude
aus•kosten to taste to the full, experience fully
auf•zehren to devour
bis auf den letzten Brosamen down to the last crumb

Ich habe eine Photographie von ihr gesehen, die sie auf dem Totenbett zeigt und die für die Kinder angefertigt worden war.

Man sieht ein winziges Gesichtchen mit vielen Falten und einen schmallippigen, aber breiten Mund. Viel Kleines, aber nichts Kleinliches. Sie hatte die langen Jahre der Knechtschaft 5 und die kurzen Jahre der Freiheit ausgekostet und das Brot des Lebens aufgezehrt bis auf den letzten Brosamen.

Exercises

Synthetic Exercises

Form complete sentences in the tense(s) indicated.

A.

1. Großmutter / sein / zweiundsiebzig // Großvater / sterben (*past*)
2. Er / haben / klein / Lithographenanstalt // und / arbeiten -in / bis / Tod (*past*)
3. Großmutter / besorgen / Haushalt // und / kochen / für Männer / und / Kinder (*past*)
4. Sie / sein / klein / mager / Frau / mit / lebhaft / Augen / aber / langsam / Sprechweise (*past*)
5. Mit / kärglich / Mitteln / großziehen / sie / fünf Kinder (*past perf.*)
6. Großmutter / werden / mit / Jahre / kleiner (*past and past perf.*)
7. Von / Kinder / gehen / zwei Mädchen / Amerika // und / zwei Söhne / wegziehen / auch (*perf.*)
8. Der Jüngste / bleiben / Stadt // und / werden / Buchdrucker (*past and perf.*)

B.

1. Ein- / können / anbieten / Mutter / bei sich / Heim (*past*)
2. Buchdrucker / wollen / ziehen / mit / Familie / zu / Mutter / in / Haus (*past*)
3. Greisin / wollen / annehmen / von / Kinder / nur / klein / geldlich / Unterstützung (*past and perf.*)
4. Als / Greisin / nicht / zustimmen // Kinder / nachgeben // und / schicken / Mutter / bißchen / Geld (*past*)

5. Buchdrucker / übernehmen / es // Geschwister / über / Mutter / berichten (*past and perf. Note: infinitive phrase at end*)

C.

1. Seine Briefe / geben / Bild / von / — // was / geschehen / in / diese zwei Jahre (*1st clause pres., 2nd clause past*)
2. Buchdrucker / sein / enttäuscht // daß / Großmutter / sich weigern // ihn / in / leer / Haus / aufnehmen (*past*)
3. Sie / einladen / Kinder / Sonntag / Kaffee // und / das / sein / eigentlich / alles (*pres. and past*)
4. Wohnung / Buchdruckers / sein / Greisin / zu eng (*past and perf.*)
5. In / Augen / Kinder / sein / es / nichts Gewöhnlich- // daß / Großmutter / Kino / besuchen (*past*)
6. Vor / dreißig Jahre / sein / Kino / elend / Lokale (*past*) Es / sich handeln / — / elend / Lokale (*pres.*)

D.

1. Einzeln- / Frau / müssen / auffallen / dort // weil / sonst / hingehen / nur / Liebespaare (*past*)
2. Obwohl / Eintritt / sein / billig // bedeuten / es / hinausgeworfen / Geld (*past*)
3. Sie / besuchen / Werkstatt / Flickschuster // in . . . / herumsitzen / stellungslos / Handwerksburschen (*past*)
4. Flickschuster / sein / Mann // — / in / ganz / Welt / herumkommen (*1st clause past, 2nd clause past perf.*)
5. Es / heißen / auch // daß / er / trinken (*pres. and past*)
6. Buchdrucker / andeuten / in / Brief // daß / er / hinweisen / Mutter / darauf (*1st clause past, 2nd clause subj. I past*)
7. Es / sein / nicht / leicht // mit / Großmutter / darüber / reden (*past and perf.*)
8. Ein halbes Jahr / nach / Tod / Großvaters / schreiben / Buchdrucker // daß / Großmutter / essen / Gasthof (*past*)

E.

1. Großmutter // — / immer nur / Reste / aufessen // essen / jetzt / Gasthof (*main clause past, relative clause past perf.*)
2. Geschäftsreise / führen / mein / Vater / Nähe // und / er / besuchen / sein / Mutter (*past*)
3. Greisin / abnehmen / Hut // und / vorsetzen / Sohn / Glas Rotwein (*pres. and past*)
4. Sie / sich erkundigen / — / Kinder (*pres., past, and perf.*)

5. Greisin / wollen / hingehen / nicht / mit / Sohn // Grab / Mannes / besuchen (*past*)
6. Buchdrucker / klagen / sehr / -über // daß / Großmutter / wollen / gehen / Flickschuster (*past*)
7. Obwohl / Vater / nehmen / Zimmer / Gasthof // er / erwarten // daß / Mutter / einladen / ihn (*past, final clause subj. II pres.*)

F.

1. Greisin / scheinen // neue / Wege / gehen (*pres. and past*)
2. Vater / sagen / Onkel // er / sollen / alte / Frau / machen lassen // was / sie / wollen (*past*)
3. Greisin / bestellen / Bregg // und / fahren / Ausflugsort (*pres. perf. and past perf.*)
4. Wenn / Enkel / Besuch / kommen // Großvater / mieten / Bregg (*past and past perf.*)
5. Großmutter / mitkommen / nicht // sondern / bleiben / zu Hause (*past*)
6. Großmutter / ablehnen / es // mitkommen (*pres. and perf.*)
7. Buchdrucker / wollen / Arzt / kommen / lassen (*pres. and past*)
8. Vater / schütteln / Kopf // als / er / lesen / Brief (*past*)
9. Greisin / mitnehmen / schwachsinnig / Mädchen / Pferderennen (*past and perf.*)

G.

1. Es / sich herausstellen // daß / Flickschuster / sein / Sozialdemokrat (*past*)
2. Gerücht / gehen // daß / beide Frauen / spielen / bei / Glas Rotwein / Karten (*past*)
3. Briefe / Onkels / werden / hysterisch // und / handeln / nur / — / „unwürdige Aufführung" / Greisin / (*past*)
4. Wenn / Greisin / nicht / essen / Gasthof // sie / nehmen / nur / Eierspeise, Kaffee und Zwieback / zu . . . (*pres. and past*)
5. Sie / kaufen / billig / Rotwein // von . . . / sie / trinken / Glas / alle Mahlzeiten (*pres. and past*)
6. Es / herauskommen / niemals // was / sie / machen / Geld (*past and perf.*)
7. Nach / ihr / Tod / ziehen / Flickschuster / Stadt // und / eröffnen / größer / Geschäft (*past*)

H.

1. Alte / sich gestatten / Freiheiten // — / normale / Leute / kennen / nicht (*perf., final clause pres.*)

2. Sommer / können / sie / drei Uhr / aufstehen // und / durch / Straßen / spazieren (*pres. and past*)
3. Greisin / einladen / Pfarrer / Kino (*pres. and past*)
   Greisin / einladen / Pfarrer // der / alte / Frau / Gesellschaft / leisten // Kino (*pres. and past*)
4. Lustige Leute / verkehren / Flickschuster // und / viel / erzählt (*past, final clause in passive*)
5. Während / andere Leute / erzählen // sie / trinken / Gläschen Rotwein (*pres., past, and perf.*)
6. Herbstnachmittag / sie / sterben / Schlafzimmer (*past and perf.*)
7. Ich / sehen / Bild / Greisin // — / zeigen / sie / Totenbett (*past*)
8. Sie / auskosten / Jahre / Knechtschaft / und / Freiheit (*past and perf.*)

Express in German

A.

1. My grandmother was seventy-two years old when my grandfather died.
2. He worked in his lithography shop until his death.
3. Grandmother took care of the household and cooked for the men and the children.
4. She was a small, lean woman with lively eyes.
5. With scant means she had brought up five children.
6. The two girls had gone to America and two of the sons had also left.
7. The youngest son stayed in town and became a printer.

B.

1. One of the sons was able to offer his mother a home with him.
2. The printer wanted *to move in with his mother.*
3. The old woman only wanted a little financial support from her children.
4. The children gave in and sent her some money.
5. The printer reported to his *brothers and sisters* about their mother.

C.

1. His letters give a picture of *what* happened in these last two years.
2. The printer was disappointed that my grandmother refused to take him into the large, empty house.

3. She invited the children for coffee every Sunday—and that was all.
4. In the children's eyes it was unusual that their mother went to the movies.

D.

1. She attracted attention there.
2. Although (the) admission was cheap, it meant wasted money.
3. She visited the shop of a shoemaker, where jobless workmen were sitting around.
4. The shoemaker was a man who had been around a lot (**viel**).
5. It was also said that he drank.
6. It wasn't easy to talk to grandmother about that.
7. The printer wrote that my grandmother was eating at an inn.

E.

1. Grandmother, who had always eaten only leftovers, was eating at an inn.
2. The old woman set a glass of wine before her son.
3. She inquired about the children.
4. She didn't want to go with her son to visit the grave.
5. The printer complained that the old lady went to the shoemaker's place.

F.

1. My father told my uncle that he should let the old woman do what she wanted.
2. She had ordered a "Bregg" and had driven to an outing place.
3. When we grandchildren came, grandfather occasionally (**ab und zu**) rented a "Bregg."
4. The printer wanted to have a doctor come.
5. My father shook his head as he read the letter.
6. The old lady took a simple-minded girl along to the horse races.

G.

1. *It turned out* that the shoemaker was a Social Democrat.
2. The rumor was that they played cards.
3. His letters became hysterical.
4. The letters dealt only with the "shameful behavior" of the old woman.
5. She bought an inexpensive red wine and drank a glass with every meal.
6. It never came out what she had done with the money.
7. After her death the shoemaker opened a larger shop.

H.

1. She allowed herself freedoms that normal people don't know.
2. She got up at three o'clock and walked through the streets.
3. A minister kept the old woman company.
4. While other people talked, she drank her little glass of red wine.
5. She died in her bedroom on a fall afternoon.
6. She had tasted the long years of servitude and the short years of freedom.

Questions

A.

1. Wo hat der Großvater gearbeitet? (Lithographenanstalt / Tod)
2. Was für ein Leben führte die Großmutter vor dem Tode ihres Mannes? (Haushalt / kochen)
3. Beschreiben Sie die alte Frau! (mager / Augen)
4. Wovon war sie mit den Jahren kleiner geworden? (fünf Kinder)
5. Wo sind die Kinder hingegangen? (zwei Mädchen // zwei Söhne)
6. Was tat der Jüngste? (Stadt / Buchdrucker)

B.

1. Worüber schreiben sich die Kinder? (Problem / Greisin)
2. Was wollte der Buchdrucker? (Mutter / Haus)
3. Was wollte aber die Greisin? (Unterstützung)
4. Warum brauchte sie diese Unterstützung? (Verkauf / Schulden)
5. Was taten die Kinder, als die Greisin zeigte, daß sie doch allein leben wollte? (nachgeben // schicken)
6. Warum mußte der Buchdrucker dann und wann seinen Geschwistern schreiben? (berichten)

C.

1. Warum war der Buchdrucker enttäuscht? (Mutter / sich weigern)
2. Wie oft lud die Greisin ihre Familie ein? (Sonntag / Kaffee)
3. Warum gefiel es ihr nicht beim Buchdrucker? (eng)
4. Wie amüsiert sich die alte Frau? (Kino)
5. Warum war das in den Augen der Kinder nichts Gewöhnliches? (Kino / damals / Lokale / Plakate)

D.

1. Warum fiel eine einzelne Frau im Kino auf? (Liebespaare)
2. Wie war der Kinobesuch sonst noch bedenklich? (Geld)
3. Zu wem ging die Greisin häufig auf Besuch? (Flickschuster // Kellnerinnen)

4. Was war der Flickschuster für ein Typ? (herumgekommen // aber . . .)
5. Warum war er kein Verkehr für die Greisin? (trinken)
6. Warum bekam der Buchdrucker eine so kurze Antwort, als er seine Mutter darauf hinwies? (nicht leicht / reden)
7. Was war für die Familie eine besonders erstaunliche Nachricht? (Gasthof)

E.

1. Wieso war dies erstaunlich? (Kochen / Reste)
2. Wer kam einmal, die Alte zu besuchen? Was wollte sie hauptsächlich wissen? (Kirschen)
3. Was war das einzige, was auf ihr neues Leben hindeutete? (Grab)
4. Worüber klagt der Buchdrucker? (Wohnung / Arbeit / Asthma)
5. Was hatte der andere Sohn von der Greisin erwartet? (einladen)

F.

1. Wie zeigt er aber seine "gute Portion Humor"? (machen / was wollen)
2. Was hat die Alte mit der Bregg getan? (Ausflugsort)
3. Wieso war das ungewöhnlich? (früher / ablehnen)
4. Warum reiste die Alte nach K.?
5. Was wollte der Buchdrucker darauf tun? (Arzt)
6. War sie allein zum Pferderennen gefahren? (Mädchen)

G.

1. Welches Gerücht hörte man nun? (Rotwein / Karten)
2. Warum lernte man fast nichts mehr vom Buchdrucker? (hysterisch // unwürdige Aufführung)
3. Woran sieht man, daß die Greisin ein keineswegs üppiges Leben führte? (Eierspeise / Kaffee / Zwieback)
4. Welchen Luxus hat sie sich aber doch geleistet? (Wein)
5. Woher hatte sie ihr Geld? (Hypothek)
6. Was soll sie mit ihrem Geld gemacht haben? (Flickschuster / Geschäft)

H.

1. Was waren die „gewißen Freiheiten“, die sich die alte Frau erlaubte? (spazieren)
2. Wieso war die Greisin nicht vereinsamt? (lustige Leute)
3. Beschreiben Sie den Tod der Greisin! (Herbstnachmittag)
4. Was konnte man am Gesicht der Toten sehen? (klein)
5. Was hatte sie ausgekostet? (Jahre)

das **Gesetz, -e** law

der **Türhüter, —** doorkeeper
der **Eintritt** admittance, entry

gewähren to grant, permit
***ein•treten** (s) to enter

sich bücken to bend over, stoop

das **Verbot, -e** prohibition

Vor dem Gesetz

Franz Kafka

Vor dem Gesetz steht ein Türhüter. Zu diesem Türhüter kommt ein Mann vom Lande und bittet um Eintritt in das Gesetz. Aber der Türhüter sagt, daß er ihm jetzt den Eintritt nicht gewähren könne. Der Mann überlegt und fragt dann, ob er also später werde eintreten dürfen. „Es ist möglich", sagt 5 der Türhüter, „jetzt aber nicht." Da das Tor zum Gesetz offensteht wie immer und der Türhüter beiseite tritt, bückt sich der Mann, um durch das Tor in das Innere zu sehen. Als der Türhüter das merkt, lacht er und sagt: „Wenn es dich so lockt, versuche es doch, trotz meines Verbotes hineinzugehen. Merke 10 aber: Ich bin mächtig. Und ich bin nur der unterste Türhüter.

der **Anblick, -e** sight (of something)
***ertragen** to stand, bear die **Schwierigkeit, -en** difficulty

zugänglich accessible
der **Pelzmantel, ¨** fur overcoat die **Spitznase, -n** pointed nose
tatarisch Tartar der **Bart, ¨e** beard
die **Erlaubnis, -se** permission
der **Schemel, —** footstool

ermüden (s) to tire
an•stellen to conduct das **Verhör, -e** examination, interrogation
teilnahmslos disinterested

mit vielem with many things **sich aus•rüsten** to equip oneself
verwenden to make use of
sei es noch so wertvoll *lit.:* be it ever so valuable; *here:* no matter how valuable it is ***bestechen** to bribe **zwar** to be sure
etwas versäumt zu haben *lit.:* to have missed or overlooked anything; *here:* that you have overlooked anything
beobachten to observe, watch **ununterbrochen** uninterruptedly
das **Hindernis, -se** obstacle
verfluchen to curse der **Zufall, ¨e** chance
rücksichtslos thoughtlessly, recklessly
brummen to grumble **vor sich hin** to himself
der **Floh, ¨e** flea

um•stimmen to change (someone's) mind
das **Augenlicht** *poet.:* sight (*Use* die **Sehkraft.**)
täuschen to deceive
der **Glanz, ¨e** gleam, radiance **unverlöschlich** inextinguishable

sammeln to collect
sich sammeln zu *lit.:* to collect themselves into (one question); *i.e.,* assemble into (one question) die **Erfahrung, -en** experience
erstarren (s) to grow rigid, stiffen

Von Saal zu Saal stehn aber Türhüter, einer mächtiger als der andere. Schon den Anblick des dritten kann nicht einmal ich mehr ertragen.“ Solche Schwierigkeiten hat der Mann vom Lande nicht erwartet; das Gesetz soll doch jedem und immer zugänglich sein, denkt er, aber als er jetzt den Türhüter in seinem Pelzmantel genauer ansieht, seine große Spitznase, den langen dünnen, schwarzen tatarischen Bart, entschließt er sich, doch lieber zu warten, bis er die Erlaubnis zum Eintritt bekommt. Der Türhüter gibt ihm einen Schemel und läßt ihn seitwärts von der Tür sich niedersetzen. Dort sitzt er Tage und Jahre. Er macht viele Versuche, eingelassen zu werden, und ermüdet den Türhüter durch seine Bitten. Der Türhüter stellt öfters kleine Verhöre mit ihm an, fragt ihn über seine Heimat aus und nach vielem andern, es sind aber teilnahmslose Fragen, wie sie große Herren stellen, und zum Schlusse sagt er ihm immer wieder, daß er ihn noch nicht einlassen könne. Der Mann, der sich für seine Reise mit vielem ausgerüstet hat, verwendet alles, und sei es noch so wertvoll, um den Türhüter zu bestechen. Dieser nimmt zwar alles an, aber sagt dabei: „Ich nehme es nur an, damit du nicht glaubst, etwas versäumt zu haben.“ Während der vielen Jahre beobachtet der Mann den Türhüter fast ununterbrochen. Er vergißt die andern Türhüter, und dieser erste scheint ihm das einzige Hindernis für den Eintritt in das Gesetz. Er verflucht den unglücklichen Zufall, in den ersten Jahren rücksichtslos und laut, später, als er alt wird, brummt er nur noch vor sich hin. Er wird kindisch, und, da er in dem jahrelangen Studium des Türhüters auch die Flöhe in seinem Pelzkragen erkannt hat, bittet er auch die Flöhe, ihm zu helfen und den Türhüter umzustimmen. Schließlich wird sein Augenlicht schwach, und er weiß nicht, ob es um ihn wirklich dunkler wird, oder ob ihn nur seine Augen täuschen. Wohl aber erkennt er jetzt im Dunkel einen Glanz, der unverlöschlich aus der Tür des Gesetzes bricht. Nun lebt er nicht mehr lange. Vor seinem Tode sammeln sich in seinem Kopfe alle Erfahrungen der ganzen Zeit zu einer Frage, die er bisher an den Türhüter noch nicht gestellt hat. Er winkt ihm zu, da er seinen erstarren-

auf•richten to straighten up, stand up
sich hinunter•neigen to bend down
der **Größenunterschied, -e** difference in size
zuungunsten + *gen.* to the disadvantage of **verändern** to change
unersättlich insatiable

der **Einlaß, ⸚sse** admittance **verlangen** to demand
***vergehen** (s) to fade, diminish das **Gehör** hearing
erreichen to reach **an•brüllen** to roar at
bestimmt für meant for, intended for

den Körper nicht mehr aufrichten kann. Der Türhüter muß sich tief zu ihm hinunterneigen, denn der Größenunterschied hat sich sehr zuungunsten des Mannes verändert. „Was willst du denn jetzt noch wissen?" fragt der Türhüter, „du bist unersättlich." „Alle streben doch nach dem Gesetz", sagt der Mann, 5 „wieso kommt es, daß in den vielen Jahren niemand außer mir Einlaß verlangt hat?" Der Türhüter erkennt, daß der Mann schon an seinem Ende ist, und, um sein vergehendes Gehör noch zu erreichen, brüllt er ihn an: „Hier konnte niemand sonst Einlaß erhalten, denn dieser Eingang war nur für dich bestimmt. 10 Ich gehe jetzt und schließe ihn."

Exercises

Synthetic Exercises

Form complete sentences in the tense(s) indicated.

A.

1. Mann / kommen / Türhüter // und / bitten / Eintritt / Gesetz (*pres., past, and perf.*)
2. Türhüter / sagen // daß / er / Mann / Eintritt / nicht / können / gewähren (*1st clause past, 2nd clause subj. II pres.*)
   Türhüter / sagen // daß / er / können / hineinlassen / Mann / nicht (*1st clause past, 2nd clause subj. I pres.*)
3. Mann / überlegen // und / fragen // später / dürfen / eintreten (*pres. and past; keep last clause in pres. or fut.*)

B.

1. Da / Tür / offenstehen // und / Türhüter / treten / beiseite // Mann / bücken // um / Innere / sehen (*pres. and past*)
2. Türhüter / sagen // er / sollen / doch / versuchen // trotz / Verbot / hineingehen (*past*)
3. Er / können / ertragen / Anblick / dritter / selbst / nicht (*pres., past, and perf.*)

C.

1. Mann / erwarten / solch- / Schwierigkeiten / nicht (*past perf.*)

2. Gesetz / sollen / sein / jeder / zugänglich (*pres. and subj. II pres. and past*)
3. Als / er / ansehen / Türhüter / genauer // er / entschließen // lieber / warten (*past*)
4. Türhüter / geben / Mann / Schemel // und / lassen / ihn / hinsetzen (*pres., past, and perf.*)

D.

1. Türhüter / anstellen / Verhöre // und / ausfragen / Mann / Heimat (*pres. and past*)
2. Er / sagen / Schluß // daß / er / Mann / nicht / können / einlassen (*1st clause past, 2nd clause subj. I pres.*)

E.

1. Er / bestechen / Türhüter (*pres., past, and perf.*)
   Er / versuchen / Türhüter / bestechen (*past*)
2. Er / können / bestechen / Türhüter / nicht (*pres., past and perf.*)
3. Annehmen / er / Geschenke / ? (*pres., past, and perf.*)
4. Türhüter / annehmen / alles // nur / damit / Mann / nicht / glauben // etwas / versäumt / haben (*pres. and past*)
5. Während / Jahre / er / vergessen / ander- / Türhüter // und / erster / scheinen / Mann / einzig / Hindernis (*pres. and past*)

F.

1. In / erst / Jahre / Mann / verfluchen / Zufall / laut // als / er / werden / alt // er / brummen / nur / vor . . . (*to himself*) (*pres. and past*)
2. Er / bitten / Flöhe // helfen // und / umstimmen / Türhüter (*past*)
3. Sehkraft / werden / schwach (*pres., past, and perf.*)
4. Er / wissen / nicht // ob / werden / dunkler // oder / ob / Augen / täuschen (*pres. and past*)
5. Er / erkennen / Glanz // — / aus / Gesetz / brechen (*pres. and past*)

G.

1. All- / Erfahrungen / sammeln / zu / Frage (*pres., past, and perf.*)
2. Er / zuwinken / Türhüter // da / er / können / aufrichten / Körper / nicht (*pres. and past*)
3. Größenunterschied / verändern / zuungunsten / Mann (*pres., past, and perf.*)

H.

1. Außer / Mann / verlangen / niemand / Einlaß (*pres., past, and perf.*)
2. Niemand sonst / können / hineingehen / hier // denn / Eingang / sein / nur / für / Mann / bestimmt (*pres. and past*)
3. Türhüter / gehen / und / schließen / Eingang (*pres. and past*)

Express in German

A.

1. A man from the country came to the doorkeeper and asked for admittance.
2. The doorkeeper said that he could not let him in.

B.

1. Since the gate was always open and the doorkeeper stepped to the side, the man bent down in order to look inside.
2. He said he should try to go in anyway (**doch**).
3. Not even I can stand the sight of the third one.

C.

1. He hadn't expected such difficulties.
2. The law should be accessible to everyone.
3. He decided he'd rather wait until he got permission.
4. The doorkeeper gave him a footstool and had him sit down.

D.

1. He made many attempts to be let in.
2. The doorkeeper conducted little investigations with him.

E.

1. The man tried to bribe the doorkeeper.
2. He accepted everything so that the man wouldn't believe he'd neglected something.
3. The man observed the doorkeeper almost uninterruptedly.
4. He forgot the other doorkeepers, and this one seemed to be the only hindrance.

F.

1. Later, when he became old, he only mumbled to himself.
2. He asked the fleas to help him and to *make* the doorkeeper *change his mind*.
3. He didn't know whether it was really getting darker or whether his eyes were deceiving him.

G.

1. There was one question that he hadn't asked yet.
2. He waved to the doorkeeper because he couldn't straighten up his body.
3. The difference in size had changed to the disadvantage of the man.

H.

1. How is it that no one but him desired admittance?
2. No one else could enter here, for this entrance was meant only for him.
3. He then went and closed the door.

Questions

A.

1. Zu wem kommt der Mann? Was will er?
2. Was sagt ihm der Türhüter?
3. Was fragt der Mann dann? Was sagt der Türhüter dazu?

B.

1. Was tut der Mann? Warum kann er es tun?
2. Wozu fordert der Türhüter den Mann auf? (**auf•fordern** to challenge)
3. Vor wem warnt er ihn?
4. Was kann der Türhüter nicht ertragen?

C.

1. Was hat der Mann nicht erwartet? Warum nicht?
2. Wozu entschließt er sich?
3. Wann hat er sich dazu entschlossen?
4. Beschreiben Sie den Türhüter!
5. Was gibt der Türhüter dem Mann?

D.

1. Was tut der Mann während der vielen Jahre?
2. Wie unterhält sich der Türhüter mit dem Mann?
3. Was sagt der Türhüter immer zum Schluß dieser Unterhaltungen?

E.

1. Wie verwendet der Mann alles, was er mit sich gebracht hat?
2. Was sagt der Türhüter dazu?
3. Wen vergißt der Mann?

F.

1. **Wie** redet der Mann von dem Zufall als er jung ist? Als er alt wird?
2. Was will der Mann von den Flöhen?
3. Was wird über seine Augen gesagt?
4. Was sieht der Mann?
5. Was deutet dies an? (**an•deuten** to indicate)

G.

1. Was geht in seinem Kopf vor? (***vor•gehen** to happen, occur)
2. Warum winkt der Mann dem Türhüter zu?
3. Was muß der Türhüter tun? Warum?

H.

1. Was ist die letzte Frage, die der Mann stellt?
2. Was ist die Antwort auf diese Frage?
3. Was tut der Türhüter am Ende der Geschichte?

Cue-sheet

Use the following cues to relate the story.

A.
Türhüter / Gesetz
Mann / kommen / bitten
nicht gewähren
Mann: später?
Türhüter: möglich

B.
offenstehen // bücken // Inner-
Türhüter: wenn / locken // versuchen / trotz
andere Türhüter
Anblick / dritt-

C.
Schwierigkeiten
zugänglich
genauer / entschließen
Schemel

D.
Versuche
Verhöre / anstellen
zum Schluß

E.
bestechen
versäumt
beobachten
vergessen / andere
dieser / einzig / Hindernis

F.
erste Jahre / verfluchen // später / brummen
Flöhe
Sehkraft (Augenlicht)
dunkler / oder / täuschen
Glanz
nun / leben

G.

eine Frage
zuwinken // da / Körper
hinunterneigen // denn / Größenunterschied

H.

alle / streben
wieso / niemand
niemand sonst
gehen

der **Apotheker, —** pharmacist, druggist
gewissenhaft conscientious **dabei** "at it"

nicht übel verdiente made a decent living, didn't earn a bad living
etliche several **im besten Mannesalter** in his prime
getreu faithful
***vertragen** to stand (I can't stand it), endure
befragen to ask, question, interrogate

innerlich inwardly **rasend** furious **äußerlich** outwardly
Er ließ sich äußerlich nichts anmerken. Outwardly he didn't show anything. **lohnen** to be worth

es war Mode it was fashionable (the fashion)

Geschichte von Isidor

Max Frisch

Ich werde ihr die kleine Geschichte von Isidor erzählen. Eine wahre Geschichte! Isidor war Apotheker, ein gewissenhafter Mensch also, der dabei nicht übel verdiente, Vater von etlichen Kindern und Mann im besten Mannesalter, und es braucht nicht betont zu werden, daß Isidor ein getreuer Ehemann war. Trotzdem vertrug er es nicht, immer befragt zu werden, wo er gewesen wäre. Darüber konnte er rasend werden, innerlich rasend, äußerlich ließ er sich nichts anmerken. Es lohnte keinen Streit, denn im Grunde, wie gesagt, war es eine glückliche Ehe. Eines schönen Sommers unternahmen sie, wie es damals gerade Mode war, eine Reise nach Mallorca, und

abgesehen von aside from
ihre stete Fragerei her constant questioning
ärgern to annoy, irritate, vex
zärtlich tender
entzücken to charm, delight, enchant

leuchten to shine, glisten das **Plakat, -e** poster, placard
zum (stillen) Ärger seiner Gattin to his wife's (quiet) annoyance

mag sein perhaps, maybe

nach Männerart as men will do, in masculine fashion
schlendern to amble, stroll, wander off
sich vertiefen in + *acc.* to immerse onself in, become absorbed in something, deeply occupied, preoccupied with something
malerisch picturesque, scenic
dröhnen to boom, resound das **Tuten** blast on the horn, whistle

dreckig filthy der **Frachter, —** freighter
mit lauter Männern in gelber Uniform with nothing but men in yellow uniforms **ebenfalls** likewise
unter Dampf under steam (*parallel to* under sail, under way)
das **Tau, -e** rope, line, cable die **Mole, -n** pier, jetty
hundsföttisch low-down, lousy der **Kinnhaken** uppercut
das **Bewußtsein** consciousness

zuvor (= vorher) before, formerly
die **Wüste, -n** desert
schätzen to value, treasure
zuweilen occasionally

gestatten to allow

das **Heimweh** homesickness, nostalgia

abgesehen von ihrer steten Fragerei, die ihn im stillen ärgerte, ging alles in bester Ordnung. Isidor konnte ausgesprochen zärtlich sein, sobald er Ferien hatte. Das schöne Avignon entzückte sie beide; sie gingen Arm in Arm. Isidor und seine Frau, die man sich als eine sehr liebenswerte Frau vorzustellen hat, waren genau neun Jahre verheiratet, als sie in Marseille ankamen. Das Mittelmeer leuchtete wie auf einem Plakat. Zum stillen Ärger seiner Gattin, die bereits auf dem Mallorca-Dampfer stand, hatte Isidor noch im letzten Moment irgendeine Zeitung kaufen müssen. Ein wenig, mag sein, tat er es aus purem Trotz gegen ihre Fragerei, wohin er denn ginge. Weiß Gott, er hatte es nicht gewußt; er war einfach, da ihr Dampfer noch nicht fuhr, nach Männerart ein wenig geschlendert. Aus purem Trotz, wie gesagt, vertiefte er sich in eine französische Zeitung, und während seine Gattin tatsächlich nach dem malerischen Mallorca reiste, fand sich Isidor, als er endlich von einem dröhnenden Tuten erschreckt aus seiner Zeitung aufblickte, nicht an der Seite seiner Gattin, sondern auf einem ziemlich dreckigen Frachter, der, übervoll beladen mit lauter Männern in gelber Uniform, ebenfalls unter Dampf stand. Und eben wurden die großen Taue gelöst. Isidor sah nur noch, wie die Mole sich entfernte. Ob es die hundsföttische Hitze oder der Kinnhaken eines französischen Sergeanten gewesen, was ihm kurz darauf das Bewußtsein nahm, kann ich nicht sagen; hingegen wage ich mit Bestimmtheit zu behaupten, daß Isidor, der Apotheker, in der Fremdenlegion ein härteres Leben hatte als zuvor. An Flucht war nicht zu denken. Das gelbe Fort, wo Isidor zum Mann erzogen wurde, stand einsam in der Wüste, deren Sonnenuntergänge er schätzen lernte. Gewiß dachte er zuweilen an seine Gattin, wenn er nicht einfach zu müde war, und hätte ihr wohl auch geschrieben; doch Schreiben war nicht gestattet. Frankreich kämpfte noch immer gegen den Verlust seiner Kolonien, so daß Isidor bald genug in der Welt herumkam, wie er sich nie hätte träumen lassen. Er vergaß seine Apotheke, versteht sich, wie andere ihre kriminelle Vergangenheit. Mit der Zeit verlor Isidor sogar das Heimweh nach dem

das seine Heimat zu sein den schriftlichen Anspruch stellte which lay claim to being his home
eine pure Anständigkeit a(n act of) pure decency

hager gaunt, haggard der **Tropenhelm, -e** pith helmet
das **Eigenheim, -e** one's own house
rechnen zu to count among, write off to
in Aufregung geraten to get upset die **Tracht, -en** costume, uniform
der **Gürtel, —** belt
wie schon erwähnt as already mentioned

ungeschmiert not greased, not oiled
girren to coo **zögern** to hesitate
um sieben Jahre by seven years

zur Rede stellen to call to account, take to task

der **Sonnenschirm, -e** parasol **köstlich** excellent, charming
der **Morgenrock, ⸚e** housecoat, dressing gown
die **Neuheit, -en** novelty, something new
die **Mißbilligung** disapproval
der **Hausfreund, -e** friend of the family (*also indicates an attachment for the lady of the house*) **hierzulande** in these parts, around here
gekrempelte Hemdärmel rolled-up shirt sleeves
selig blissful

der **Zank, ⸚e** quarrel, squabble
mit Glockenläuten with the ringing of bells
ohne jede Rücksicht auf + *acc.* without the slightest regard for
das **Besteck** "the silver" (*i.e.,* knife, fork, and spoon)
außerstande unable, incapable **imstande** able, in a position to
***ein•gießen** to pour

Land, das seine Heimat zu sein den schriftlichen Anspruch stellte, und es war — viele Jahre später — eine pure Anständigkeit von Isidor, als er eines schönen Morgens durch das Gartentor trat, bärtig, hager wie er nun war, den Tropenhelm unter dem Arm, damit die Nachbarn seines Eigenheims, die den Apotheker längstens zu den Toten rechneten, nicht in Aufregung gerieten über seine immerhin ungewohnte Tracht; selbstverständlich trug er auch einen Gürtel mit Revolver. Es war ein Sonntagmorgen, Geburtstag seiner Gattin, die er, wie schon erwähnt, liebte, auch wenn er in all den Jahren nie eine Karte geschrieben hatte. Einen Atemzug lang, das unveränderte Eigenheim vor Augen, die Hand noch an dem Gartentor, das ungeschmiert war und girrte wie je, zögerte er. Fünf Kinder, alle nicht ohne Ähnlichkeit mit ihm, aber alle um sieben Jahre gewachsen, so daß ihre Erscheinung ihn befremdete, schrien schon von weitem: Der Papi! Es gab kein Zurück. Und Isidor schritt weiter als Mann, der er in harten Kämpfen geworden war, und in der Hoffnung, daß seine liebe Gattin, sofern sie zu Hause war, ihn nicht zur Rede stellen würde. Er schlenderte den Rasen hinauf, als käme er wie gewöhnlich aus seiner Apotheke, nicht aber aus Afrika und Indochina. Die Gattin saß sprachlos unter einem neuen Sonnenschirm. Auch den köstlichen Morgenrock, den sie trug, hatte Isidor noch nie gesehen. Ein Dienstmädchen, ebenfalls eine Neuheit, holte sogleich eine weitere Tasse für den bärtigen Herrn, den sie ohne Zweifel, aber auch ohne Mißbilligung als den neuen Hausfreund betrachtete. Kühl sei es hierzulande, meinte Isidor, indem er sich die gekrempelten Hemdärmel wieder heruntermachte. Die Kinder waren selig, mit dem Tropenhelm spielen zu dürfen, was natürlich nicht ohne Zank ging, und als der frische Kaffee kam, war es eine vollendete Idylle, Sonntagmorgen mit Glockenläuten und Geburtstagstorte. Was wollte Isidor mehr! Ohne jede Rücksicht auf das neue Dienstmädchen, das gerade noch das Besteck hinlegte, griff Isidor nach seiner Gattin. „Isidor!" sagte sie und war außerstande, den Kaffee einzugießen, so daß der bärtige Gast es selber machen mußte. „Was denn!" fragte er zärtlich, indem er auch ihre

umarmen to embrace
betäubt stunned

der **Rosenstock, ⁻̈e** rose tree

verdutzt puzzled, taken aback
mit dem knappen Schwung der Routine *here:* with a practiced motion; *lit.:* with the exact precision, "snap," of routine

unauslöschlich indelible

vom Gebrauch abgenutzt worn from use

traute Heimkehr intimate (tender) homecoming

berühren to touch **verzieren** to decorate
sich vor•stellen to imagine
eine erhebliche Schweinerei a considerable mess

der **Schlagrahm** whipped cream
verspritzen to spray, bespatter der **Augenzeuge, -n** witness

umringen to surround
Niobe *Greek mythology: mother of seven sons and seven daughters, traditionally pictured protecting them. Cliché for grieving mother.*
unverantwortlich irresponsible **gelassen** (*adj.*) calm, imperturbable

der **Zustand, ⁻̈e** situation, condition
erbarmungswürdig pitiable
unter vier Augen "in strict confidence," between two people
insgesamt in all die **Scheidung, -en** divorce

die **Reue** repentance
lebt ganz den fünf Kindern lived entirely for the five children (devoted herself to the five children) ***ab•weisen** to refuse, turn down
(die) **persönliche Teilnahme** personal interest, concern

Tasse füllte. „Isidor!" sagte sie und war dem Weinen nahe. Er umarmte sie. „Isidor!" fragte sie, „wo bist du nur so lange gewesen?" Der Mann, einen Augenblick lang wie betäubt, setzte seine Tasse nieder; er war es einfach nicht mehr gewohnt, verheiratet zu sein, und stellte sich vor einen Rosenstock, die Hände in den Hosentaschen. „Warum hast du nie auch nur eine Karte geschrieben?" fragte sie. Darauf nahm er den verdutzten Kindern wortlos den Tropenhelm weg, setzte ihn mit dem knappen Schwung der Routine auf seinen eigenen Kopf, was den Kindern einen für die Dauer ihres Lebens unauslöschlichen Eindruck hinterlassen haben soll, Papi mit Tropenhelm und Revolvertasche, alles nicht bloß echt, sondern sichtlich vom Gebrauche etwas abgenutzt, und als die Gattin sagte: „Weißt du, Isidor, das hättest du wirklich nicht tun dürfen!" war es für Isidor genug der trauten Heimkehr, er zog (wieder mit dem knappen Schwung der Routine, denke ich) den Revolver aus dem Gurt, gab drei Schüsse mitten in die weiche, bisher noch unberührte und mit Zuckerschaum verzierte Torte, was, wie man sich wohl vorstellen kann, eine erhebliche Schweinerei verursachte. „Also Isidor!" schrie die Gattin, denn ihr Morgenrock war über und über von Schlagrahm verspritzt, ja, und wären nicht die unschuldigen Kinder als Augenzeugen gewesen, hätte sie jenen ganzen Besuch, der übrigens kaum zehn Minuten gedauert haben dürfte, für eine Halluzination gehalten. Von ihren fünf Kindern umringt, einer Niobe ähnlich, sah sie nur noch, wie Isidor, der Unverantwortliche, mit gelassenen Schritten durch das Gartentor ging, den unmöglichen Tropenhelm auf dem Kopf. Nach jenem Schock konnte die arme Frau nie eine Torte sehen, ohne an Isidor denken zu müssen, ein Zustand, der sie erbarmenswürdig machte, und unter vier Augen, insgesamt etwa unter sechsunddreißig Augen riet man ihr zur Scheidung. Noch aber hoffte die tapfere Frau. Die Schuldfrage war ja wohl klar. Noch aber hoffte sie auf seine Reue, lebte ganz den fünf Kindern, die von Isidor stammten, und wies den jungen Rechtsanwalt, der sie nicht ohne persönliche Teilnahme besuchte und zur Scheidung

drängen to press
Penelope *Homer's* Odyssey: *Odysseus' long-suffering, long-waiting wife. Cliché for constancy.*

***entreißen** to tear away, snatch away

die **Scheidungsklage, -n** divorce complaint **unterzeichnen** to sign
die **Träne, -n** tear **zumal** especially since
die gesetzliche Frist the legal period **sich melden** to report, show up
in schlichter Zurückhaltung "modestly withdrawn" manner

das **Standesamt, ¨-er** registrar's office; *here:* akin to a justice of the peace
genehmigen to approve, sanction, license
heranwachsend growing (up)

sich *herum•treiben to knock around, gallivant

drängte, ein weiteres Jahr lang ab, einer Penelope ähnlich. Und in der Tat, wieder war's ihr Geburtstag, kam Isidor nach einem Jahr zurück, setzte sich nach üblicher Begrüßung, krempelte die Hemdärmel herunter und gestattete den Kindern abermals, mit seinem Tropenhelm zu spielen, doch dieses Mal dauerte ihr Vergnügen, einen Papi zu haben, keine drei Minuten. „Isidor!" sagte die Gattin, „wo bist du denn jetzt wieder gewesen?" Er erhob sich, ohne zu schießen, Gott sei Dank, auch ohne den unschuldigen Kindern den Tropenhelm zu entreißen, nein, Isidor erhob sich nur, krempelte seine Hemdärmel wieder herauf und ging durchs Gartentor, um nie wiederzukommen. Die Scheidungsklage unterzeichnete die arme Gattin nicht ohne Tränen, aber es mußte ja wohl sein, zumal sich Isidor innerhalb der gesetzlichen Frist nicht gemeldet hatte, seine Apotheke wurde verkauft, die zweite Ehe in schlichter Zurückhaltung gelebt und nach Ablauf der gesetzlichen Frist auch durch das Standesamt genehmigt, kurzum, alles nahm den Lauf der Ordnung, was ja zumal für die heranwachsenden Kinder so wichtig war. Eine Antwort, wo Papi sich mit dem Rest seines Erdenlebens herumtrieb, kam nie. Nicht einmal eine Ansichtskarte. Mami wollte auch nicht, daß die Kinder danach fragten; sie hatte ja Papi selber nie danach fragen dürfen. . . .

Exercises

Synthetic Exercises

Form complete sentences in the tense(s) indicated.

A.

1. Isidor / sein / gewissenhaft / Mensch // — / verdienen / nicht übel (*pres. and past*)
2. Es / brauchen / nicht / betont / werden // daß / Isidor / sein / getreu / Ehemann (*pres.*)
3. Trotzdem / vertragen / er / es / nicht // immer / befragt / werden // er / sein (*past, final clause past perf.*)

4. Darüber / können / er / werden / innerlich / rasend // äußerlich / er / lassen / sich / anmerken / nichts (*past*)
5. Es / lohnen / kein / Streit // denn / es / sein / in / Grund / glücklich / Ehe (*past and perf.*)

B.

1. Ein / schön / Sommer / sie / unternehmen // wie / es / sein / damals / Mode // Reise / Mallorca (*past*)
2. Abgesehen / stete / Fragerei // — / ärgern / Apotheker // alles / gehen / in / best- / Ordnung (*pres. and past*)
3. Sie / sein / neun Jahre / verheiratet // als / sie / ankommen / Marseille (*past*)
4. Zu / still / Ärger / Gattin // — / stehen / auf / Dampfer // Isidor / müssen / in / letzt- / Moment / Zeitung / kaufen (*past*)
5. Er / tun / es / pur / Trotz / Fragerei (*past and perf.*)
6. Da / ihr / Dampfer / fahren / noch nicht // er / schlendern / ein wenig (*past*)

C.

1. Er / vertiefen / in / französisch / Zeitung (*past and perf.*)
2. Während / Gattin / reisen / malerisch / Mallorca // Isidor / finden / sich / dreckig / Frachter (*past*)
3. Isidor / finden / sich / nicht / Seite / Gattin // sondern / dreckig / Frachter // — / sein / beladen / Männer / gelb / Uniform (*past*)
4. Groß / Taue / gelöst (*passive*) // und / Isidor / sehen // wie / Mole / sich entfernen (*past*)
5. Man / können / sagen / Bestimmtheit // daß / Apotheker / haben / härter / Leben / als / zuvor (*past*)
6. Gelb / Fort / stehen / Wüste // (*whose*) / Sonnenuntergänge / er / lernen / schätzen (*past*)
7. Isidor / schreiben / Frau // wenn / Schreiben / sein / gestattet (*subj. II past*)
8. Isidor / herumkommen / viel / Welt // denn / Frankreich / kämpfen / noch / Verlust / Kolonien (*past*)

D.

1. Er / verlieren / Heimweh // und / kommen / nur / aus / pur / Anständigkeit / nach Hause (*past and perf.*)
2. Er / tragen / Tropenhelm / unter / Arm // damit / Nachbarn / sich aufregen / nicht (*1st clause past, 2nd clause subj. II pres.*)
3. Als / Isidor / stehen / Gartentor // er / zögern / Atemzug lang (*past*)

4. Erscheinung / Kinder / befremden / Apotheker // weil / sie / sein / um / sieben Jahre / gewachsen (*past*)

E.

1. Er / schreiten / weiter / in / Hoffnung // daß / Gattin / ihn / nicht / Rede / stellen (*1st clause past, 2nd clause subj. II pres.*)
2. Er / hinaufschlendern / Rasen // als ob / er / nur / kommen / Apotheke / und / nicht / Afrika (*1st clause past, 2nd clause subj. II pres.*)
3. Gattin / sitzen / unter / Sonnenschirm / in / Morgenrock // — / Isidor / sehen / noch nie (*main clause past, relative clause past perf.*)
4. Dienstmädchen / holen / weiter / Tasse / bärtig / Herr // — / sie / betrachten / als / neu / Hausfreund (*past*)
5. Isidor / meinen // daß / es / sein / kühl (*1st clause past, 2nd clause subj. I pres.*)
6. Kinder / sein / selig / mit / Tropenhelm / spielen / dürfen // — / nicht / gehen / ohne Zank (*past*)

F.

1. Ohne / Rücksicht / neu / Dienstmädchen // — / hinlegen / Besteck // Isidor / greifen / nach / Gattin (*pres. and past*)
2. Frau / sein / außerstande // Kaffee / eingießen // so daß / Gast / müssen / es / selber / machen (*past and perf.*)
3. „Was denn" / Isidor / fragen / zärtlich // indem / er / füllen / auch / ihr / Tasse (*past*)
4. Gattin / fragen / Isidor // wo / er / sein / so lange (*1st clause past, 2nd clause past perf.*)
5. Mann / sitzen / Augenblick / wie betäubt // weil / er / sein / es / gewohnt / nicht mehr // verheiratet / sein (*pres. and past*)

G.

1. Er / wegnehmen / Kinder / Tropenhelm // und / setzen / ihn / mit / knapp / Schwung / Routine / Kopf (*past and perf.*)
2. Es / hinterlassen / Kinder / unauslöschlich / Eindruck (*pres., past, and perf.*)
3. Tropenhelm / und / Revolvertasche / sein / nicht bloß echt // sondern / sichtlich / von / Gebrauch / abgenutzt (*past*)
4. Frau / sagen // daß / Isidor / nicht / dürfen / das / tun (*1st clause past, 2nd clause subj. II past*)
5. Isidor // — / haben / genug von / traut / Heimkehr //

ziehen / Revolver // und / geben / drei Schüsse / mitten / weich / Torte // — / verursachen / erheblich / Schweinerei (*past*)

H.

1. Gattin / können / halten / ganz / Besuch / Halluzination (*subj. II pres. and past*)
2. Nach / Schock / können / sehen / arm / Frau / nie / Torte // ohne / Isidor / denken / müssen (*past and perf., final clause as infinitival constr.*)
3. Man / raten / Frau / Scheidung (*pres., past, and perf.*)
4. Obwohl / Schuldfrage / sein / klar // Frau / hoffen / seine / Reue (*past*)
5. Frau / abweisen / jung / Rechtsanwalt / weiter / Jahr lang // (*a*) / Penelope / ähnlich (*past and perf.*)

I.

1. Isidor / zurückkommen / nach / ein Jahr // setzen / nach / üblich / Begrüßung // herunterkrempeln / Hemdärmel // und / gestatten / Kinder / mit / Tropenhelm / spielen (*past*)
2. Vergnügen // Vater / haben // dauern / kein / drei Minuten (*past*)
3. Isidor / sich erheben // diesmal / ohne / schießen // und / gehen / Gartentor // nie / wiederkommen (*past and perf.*)

J.

1. Frau / und / Rechtsanwalt / leben / in / schlicht / Zurückhaltung (*past*)
2. Ehe / genehmigt (*passive*) / nach Ablauf / gesetzlich / Frist / sogar (*past and perf.*)
3. Alles / nehmen / Lauf / Ordnung // (*which*) / sein / für / heranwachsend / Kinder / wichtig (*past*)
4. Antwort // wo / Papi / sich herumtreiben / für / Rest / Erdenleben // kommen / nie (*past and perf.*)
5. Mami / wollen / nicht // daß / Kinder / fragen / danach // denn / sie / dürfen / fragen / selber / nie / danach (*1st and 2nd clauses past; 3rd clause past perf.*)

Express in German

A.

1. Isidor was a pharmacist, hence a conscientious person, who didn't earn a bad living.
2. It doesn't need to be stressed that Isidor was a faithful husband.

3. Nonetheless he couldn't stand *always being asked* where he had been.
4. He could get inwardly furious; outwardly he didn't let it show.
5. *It wasn't worth* a quarrel because it was basically a happy marriage.

B.

1. One fine (**schön**) summer they undertook a trip to Majorca, as was then the vogue.
2. Apart from her constant questioning, which annoyed the pharmacist, everything went *perfectly*.
3. To the annoyance of his wife, who was already standing on the steamer, he had had to buy some newspaper or other.
4. He did it a little bit out of spite against her continual questioning.
5. Since the steamer hadn't left(*__ab•fahren__) yet, he strolled a little.

C.

1. He became absorbed in a French newspaper.
2. While his wife was going to Majorca, he found himself on a filthy freighter.
3. One can say with certainty that the pharmacist had a tougher life than before.
4. The yellow fort stood in a desert whose sunsets he *came to* value.
5. Isidor would have written his wife if writing had been allowed.
6. Isidor got around a lot in the world because France was still fighting against the loss of its colonies.

D.

1. He forgot his drugstore just as other people forget their criminal past.
2. He only came home out of pure decency.
3. He carried the pith helmet under his arm so that the neighbors *wouldn't get upset* (**sich auf•regen**).
4. Isidor hesitated a moment as he stood at the garden gate.
5. The children's appearance was strange to him because they had grown by seven years.

E.

1. He strode on in the hope that his wife wouldn't *call him to account*.
2. He ambled up the lawn as though he were just coming from his drugstore and not from Africa.
3. His wife sat under a parasol in a housecoat that Isidor hadn't seen before.
4. The maid fetched a cup of coffee for the bearded gentleman, whom she viewed as the new "friend of the family."

5. Isidor said that it was cool.
6. The children were blissful *at being allowed* to play with the pith helmet.

F.

1. Without regard for the maid Isidor reached for his wife.
2. The woman was *unable* to pour the coffee so the bearded guest had to do it himself.
3. "What?" asked Isidor tenderly, *filling* her cup too.
4. His wife asked Isidor where he had been so long.
5. The man sat there *as if he were stunned,* because he simply wasn't used to being married anymore.

G.

1. It left an indelible impression on the children.
2. The pith helmet and the holster were not only genuine but visibly worn with use.
3. His wife said that Isidor shouldn't have done that.
4. Isidor had enough of this intimate homecoming.
5. He drew his revolver and put three shots into the middle of the soft torte, which caused a considerable mess.

H.

1. His wife could have considered the whole visit an hallucination.
2. After that shock the poor woman could never see a torte without having to think of Isidor.
3. They advised her to *get a divorce.*
4. Although the question of guilt was clear, she still hoped *he'd repent* (for his repentance).
5. Like a Penelope, she turned down the young lawyer for a year more.

I.

1. Isidor sat down after the customary greeting, rolled down his sleeves, and allowed the children to play with the pith helmet.
2. This time the pleasure of having a father didn't last three minutes.
3. He got up without shooting and walked through the garden gate never to return again.

J.

1. Isidor's wife and her lawyer lived in a modestly withdrawn manner.
2. The marriage was even approved after the expiration of the legal (waiting) period.
3. An answer (as to) where Papi knocked around for the rest of his mortal life never came.
4. His wife didn't want *the children to ask about it.*

Questions

A.

1. Beschreiben Sie Isidor!
2. Was braucht nicht einmal betont zu werden?
3. Was vertrug Isidor nicht?
4. Wie reagierte er innerlich auf die stete Fragerei seiner Frau? Äußerlich?
5. Warum lohnte es keinen Streit?

B.

1. Was taten sie eines Sommers?
2. Wie ging alles **am Anfang?**
3. Was ärgerte die Gattin, als sie auf dem Mallorca-Dampfer stand?
4. Warum war Isidor weggegangen?

C.

1. Wo fand sich Isidor?
2. Was nahm ihm das Bewußtsein? (Entweder . . . oder . . . .)
3. Was kann der Schriftsteller mit Bestimmtheit sagen?
4. Warum schrieb Isidor seiner Frau nicht?
5. Warum kam Isidor viel in der Welt herum?

D.

1. Warum trug Isidor den Tropenhelm unter dem Arm, als er nach Hause kam?
2. Warum befremdete ihn die Erscheinung seiner Kinder?

E.

1. Was hoffte Isidor, als er weiterschritt?
2. Wie schlenderte er den Rasen hinauf?
3. Was tat das Dienstmädchen? Wie betrachtete sie Isidor? (d.h. Für wen hielt sie Isidor?)
4. Warum waren die Kinder selig?

F.

1. **Wozu** war seine Gattin außerstande?
2. Was war die erste Frage, die die Frau stellte?
3. Warum saß Isidor wie betäubt da?

G.

1. Was tat er mit dem Tropenhelm?
2. Wie hat die Szene die Kinder beeindruckt?
3. Wie sehen der Tropenhelm und die Revolvertasche aus?
4. Was tat Isidor mit dem Revolver?

H.

1. Was hätte die Frau gemeint, wenn die Kinder nicht als Augenzeugen da gewesen wären?
2. Was geschah nachher, wenn die Frau eine Torte sah?
3. Was riet man der Frau?
4. Warum ließ sich die Frau nicht scheiden?
5. Wieso war sie einer Penelope ähnlich?

I.

1. Was geschah nach einem Jahr?
2. Was wollte die Frau wissen?
3. Was tat Isidor, als er die Frage hörte?

J.

1. Wie lebten Isidors Frau und der Rechtsanwalt?
2. Was für eine Antwort kam nie?
3. Was wollte die Mutter nicht?

Cue-sheet

Use the following cues to relate the story.

A.
Apotheker
Ehemann
nicht vertragen
innerlich / äußerlich
kein Streit

B.
Mallorca
abgesehen von
Ärger / Gattin
Trotz
Dampfer / schlendern

C.
Zeitung
Frau / Mallorca // Isidor / Frachter
mit Bestimmtheit / härter
Fort / Wüste // Sonnenuntergänge
schreiben / Frau
Frankreich / Kolonien // so daß

D.

vergessen / kriminell
Anständigkeit
Tropenhelm / Nachbarn
Geburtstag
zögern
Kinder / befremden

E.

schreiten / Hoffnung
Apotheke / Afrika / Vietnam
Dienstmädchen / Tasse
Kinder / Tropenhelm / Zank

F.

ohne Rücksicht
außerstande / Kaffee
„Was denn?“ . . .
Frau / fragen // wo
Isidor / nicht gewohnt

G.

Tropenhelm / weg // Kopf
Eindruck / Dauer
Frau: nicht / dürfen
genug / haben
Revolver // Schweinerei

H.

Halluzination
Schock / nie / Torte
Scheidung
Schuldfrage // aber / Reue
Penelope / ein Jahr

I.

nach einem Jahr
drei Minuten
Frau / fragen // wo
ohne / schießen

J.

Scheidungsklage
Zurückhaltung
Antwort / wo
Ansichtskarte
nicht / fragen

der **Kreidekreis, -e** chalk circle

die **Gerberei, -en** tannery

die **Lederhandlung, -en** leather goods store

am Lech on the Lech River

verheiratet mit married to

zur Flucht *raten to advise to escape, flee

im Stich *lassen to leave in the lurch, abandon

sich *entschließen to decide, make up one's mind

beizeiten in time

kaiserlich imperial

plündern to plunder, pillage

Der Augsburger Kreidekreis

Bertolt Brecht

Zu der Zeit des Dreißigjährigen Krieges besaß ein Schweizer Protestant namens Zingli eine große Gerberei mit einer Lederhandlung in der freien Reichsstadt Augsburg am Lech. Er war mit einer Augsburgerin verheiratet und hatte ein Kind von ihr. Als die Katholischen auf die Stadt zu marschierten, 5 rieten ihm seine Freunde dringend zur Flucht, aber, sei es, daß seine kleine Familie ihn hielt, sei es, daß er seine Gerberei nicht im Stich lassen wollte, er konnte sich jedenfalls nicht entschließen, beizeiten wegzureisen.

So war er noch in der Stadt, als die kaiserlichen Truppen sie 10 stürmten, und als am Abend geplündert wurde, versteckte er

Reprinted by permission of Gebrüder Weiß Verlag, Berlin, from *Kalendergeschichten* by Bertolt Brecht.

die **Grube, -n** hole, pit, ditch   die **Farbe, -n** color, dye
auf•bewahren to store, keep

der **Schmuck** jewelry
die **Rotte, -n** band, troop

das **Anwesen, —** property, premises, house
die **Diele, -n** hall(way)
die **Wiege, -n** cradle
die **Schnur, ⸚e** cord, string
hantieren to work, putter around
das **Kupferzeug** copperware   die **Gasse, -n** street
stürzen (s) to rush
die **Beute** booty

das **Geräusch, -e** noise, sound
eichen oaken

kurz und klein to pieces
sich *befinden to be (*with place expressions*)

die **Durchsuchung, -en** search
sich *verziehen to withdraw, leave, pull out

unversehrt uninjured, unharmed   ***schleichen** (s) to sneak

erhellen to illuminate
entsetzt horrified
übel zugerichtet maltreated (badly beaten, cut up, etc.)
die **Leiche, -n** corpse
***erschlagen** to kill, slay
die Gefahr *laufen to be in danger, run a risk

schweren Herzens with a heavy heart
wiegen to rock

sich in einer Grube im Hof, wo die Farben aufbewahrt wurden. Seine Frau sollte mit dem Kind zu ihren Verwandten in der Vorstadt ziehen, aber sie hielt sich zu lange damit auf, ihre Sachen, Kleider, Schmuck und Betten zu packen, und so sah sie plötzlich, von einem Fenster des ersten Stockes aus, eine Rotte kaiserlicher Soldaten in den Hof dringen. Außer sich vor Schrecken ließ sie alles stehen und liegen und rannte durch eine Hintertür aus dem Anwesen.

So blieb das Kind im Hause zurück. Es lag in der großen Diele in seiner Wiege und spielte mit einem Holzball, der an einer Schnur von der Decke hing.

Nur eine junge Magd war noch im Hause. Sie hantierte in der Küche mit dem Kupferzeug, als sie Lärm von der Gasse her hörte. Ans Fenster stürzend, sah sie, wie aus dem ersten Stock des Hauses gegenüber von Soldaten allerhand Beutestücke auf die Gasse geworfen wurden. Sie lief in die Diele und wollte eben das Kind aus der Wiege nehmen, als sie das Geräusch schwerer Schläge gegen die eichene Haustür hörte. Sie wurde von Panik ergriffen und flog die Treppe hinauf.

Die Diele füllte sich mit betrunkenen Soldaten, die alles kurz und klein schlugen. Sie wußten, daß sie sich im Haus eines Protestanten befanden. Wie durch ein Wunder blieb bei der Durchsuchung und Plünderung Anna, die Magd, unentdeckt. Die Rotte verzog sich, und aus dem Schrank herauskletternd, in dem sie gestanden war, fand Anna auch das Kind in der Diele unversehrt. Sie nahm es hastig an sich und schlich mit ihm auf den Hof hinaus. Es war inzwischen Nacht geworden, aber der rote Schein eines in der Nähe brennenden Hauses erhellte den Hof, und entsetzt erblickte sie die übel zugerichtete Leiche des Hausherrn. Die Soldaten hatten ihn aus seiner Grube gezogen und erschlagen.

Erst jetzt wurde der Magd klar, welche Gefahr sie lief, wenn sie mit dem Kind des Protestanten auf der Straße aufgegriffen wurde. Sie legte es schweren Herzens in die Wiege zurück, gab ihm etwas Milch zu trinken, wiegte es in Schlaf und machte sich auf den Weg in den Stadtteil, wo ihre verheiratete Schwester

sich drängen durch to push, force one's way through
das **Getümmel, —** turmoil
der ihren Sieg feiernden Soldaten of the soldiers who were celebrating their victory
mächtig mighty, huge
geraume Zeit (a) long time

die **Nichte, -n** niece
er hat mit ihm nichts zu schaffen he has nothing to do with him
der **Bankert, -e** bastard

der **Schwager, ⸚e** brother-in-law der **Vorhang, ⸚e** curtain
die **Überzeugung, -n (*gewinnen)** conviction (to become convinced)
verleugnen to disclaim, deny
schweigend silently

aus•reden to talk out of
anständig decently

unbedingt definitely, at all costs
nichts fehlt ihm there's nothing wrong with him; he's all right

wagen to dare
an•zünden to light

winzig tiny der **Leberfleck, -e** mole

saugen to suck

schwerfällig slowly, ponderously
hüllen to wrap
das **Leinen, —** linen

wohnte. Gegen zehn Uhr nachts drängte sie sich, begleitet vom Mann ihrer Schwester, durch das Getümmel der ihren Sieg feiernden Soldaten, um in der Vorstadt Frau Zingli, die Mutter des Kindes, aufzusuchen. Sie klopften an die Tür eines mächtigen Hauses, die sich nach geraumer Zeit auch ein wenig öffnete. Ein kleiner alter Mann, Frau Zinglis Onkel, steckte den Kopf heraus. Anna berichtete atemlos, daß Herr Zingli tot, das Kind aber unversehrt im Hause sei. Der Alte sah sie kalt aus fischigen Augen an und sagte, seine Nichte sei nicht mehr da, und er selber habe mit dem Protestantenbankert nichts zu schaffen. Damit machte er die Tür wieder zu. Im Weggehen sah Annas Schwager, wie sich ein Vorhang in einem der Fenster bewegte, und gewann die Überzeugung, daß Frau Zingli da war. Sie schämte sich anscheinend nicht, ihr Kind zu verleugnen.

Eine Zeitlang gingen Anna und ihr Schwager schweigend nebeneinander her. Dann erklärte sie ihm, daß sie in die Gerberei zurück und das Kind holen wolle. Der Schwager, ein ruhiger, ordentlicher Mann, hörte sie erschrocken an und suchte ihr die gefährliche Idee auszureden. Was hatte sie mit diesen Leuten zu tun? Sie war nicht einmal anständig behandelt worden.

Anna hörte ihm still zu und versprach ihm, nichts Unvernünftiges zu tun. Jedoch wollte sie unbedingt noch schnell in die Gerberei schauen, ob dem Kind nichts fehle. Und sie wollte allein gehen.

Sie setzte ihren Willen durch. Mitten in der zerstörten Halle lag das Kind ruhig in seiner Wiege und schlief. Anna setzte sich müde zu ihm und betrachtete es. Sie hatte nicht gewagt, ein Licht anzuzünden, aber das Haus in der Nähe brannte immer noch, und bei diesem Licht konnte sie das Kind ganz gut sehen. Es hatte einen winzigen Leberfleck am Hälschen.

Als die Magd einige Zeit, vielleicht eine Stunde, zugesehen hatte, wie das Kind atmete und an seiner kleinen Faust saugte, erkannte sie, daß sie zu lange gesessen und zu viel gesehen hatte, um noch ohne das Kind weggehen zu können. Sie stand schwerfällig auf, und mit langsamen Bewegungen hüllte sie es in die Leinendecke, hob es auf den Arm und verließ mit ihm den Hof,

sich um•schauen to look around
das **Gewissen, —** conscience

die **Beratung, -en** deliberation, consultation

ein•heiraten to marry into **ausgemacht** decided, arranged

das **Gesinde** help, hired hands

***empfangen** to receive die **Schwägerin, -nen** sister-in-law

veranlassen to cause, induce

entfernt distant, far off

die **Mühle, -n** mill

auf•tauen to thaw; *here:* become friendly

gebührend duly, properly **bewundern** to admire

das **Gehölz, -e** wood, copse

der **Stumpf, ⸚e** stump
(ihm) reinen Wein einschenken to tell (him) the truth
nicht wohl in der Haut sein to be uneasy; *lit.:* in one's skin

festigen to secure, make firm

großzügig generous, magnanimous

zu•trauen to credit (a person with something)
die Täuschung *aufrecht•erhalten to keep up the deception

auf die Länge in the long run

die **Ernte, -n** harvest **pflegen** to take care of

***gedeihen** (s) to thrive, get on well

sich erkundigen nach to ask about, inquire about

sich scheu umschauend, wie eine Person mit schlechtem Gewissen, eine Diebin.

Sie brachte das Kind, nach langen Beratungen mit Schwester und Schwager, zwei Wochen darauf aufs Land in das Dorf Groß-Saitingen, wo ihr älterer Bruder Bauer war. Der Bauernhof gehörte der Frau, er hatte nur eingeheiratet. Es war ausgemacht worden, daß sie vielleicht nur dem Bruder sagen sollte, wer das Kind war, denn sie hatten die junge Bäuerin nie zu Gesicht bekommen und wußten nicht, wie sie einen so gefährlichen kleinen Gast aufnehmen würde.

Anna kam gegen Mittag im Dorf an. Ihr Bruder, seine Frau und das Gesinde saßen beim Mittagessen. Sie wurde nicht schlecht empfangen, aber ein Blick auf ihre neue Schwägerin veranlaßte sie, das Kind sogleich als ihr eigenes vorzustellen. Erst nachdem sie erzählt hatte, daß ihr Mann in einem entfernten Dorf eine Stellung in einer Mühle hatte und sie dort mit dem Kind in ein paar Wochen erwartete, taute die Bäuerin auf und das Kind wurde gebührend bewundert.

Nachmittags begleitete sie ihren Bruder ins Gehölz, Holz sammeln. Sie setzten sich auf Baumstümpfe, und Anna schenkte ihm reinen Wein ein. Sie konnte sehen, daß ihm nicht wohl in seiner Haut war. Seine Stellung auf dem Hof war noch nicht gefestigt, und er lobte Anna sehr, daß sie seiner Frau gegenüber den Mund gehalten hatte. Es war klar, daß er seiner jungen Frau keine besonders großzügige Haltung gegenüber dem Protestantenkind zutraute. Er wollte, daß die Täuschung aufrechterhalten wurde.

Das war nun auf die Länge nicht leicht.

Anna arbeitete bei der Ernte mit und pflegte „ihr" Kind zwischendurch, immer wieder vom Feld nach Hause laufend, wenn die andern ausruhten. Der Kleine gedieh und wurde sogar dick, lachte so oft er Anna sah und suchte kräftig den Kopf zu heben. Aber dann kam der Winter, und die Schwägerin begann sich nach Annas Mann zu erkundigen.

Es sprach nichts dagegen, daß Anna auf dem Hof blieb, sie konnte sich nützlich machen. Das Schlimme war, daß die

sich wundern über + *acc.* to wonder about

ins Gerede *kommen (s) to be talked, gossiped about
an•spannen to hitch up (horses)
das **Kalb, ⸚er** calf
rattern to rattle der **Fahrweg, -e** cart, carriage road

der **Häusler, —** cottager
ausgemergelt emaciated **schmierig** greasy, dirty
das **Laken, —** sheet

ehelichen to marry das **Lager, —** *here:* bed
gelbhäutig with yellow skin das **Entgelt, -e** recompense, payment
***erweisen** to show to, do (her a service)
aus•handeln to transact
***erstehen** to purchase, pick up at an auction
die **Verehelichung** marriage
die **Trauungsformel, -n** marriage vow

der **Totenschein, -e** death certificate

sich wundern to be surprised, wonder

die **Hochzeit, -en** wedding
die **Blechmusik** brass (band) music
die **(Braut-) Jungfer, -n** (brides)maid
verzehren to consume der **Hochzeitsschmaus, ⸚e** wedding banquet
der **Speck, -e** bacon die **Speisekammer, -n** pantry
die **Kiste, -n** box
stopfen to stuff, tuck in

auf sich warten *lassen to take its (one's) time

der **Bescheid** news, information

beschwerlich difficult, cumbersome

Nachbarn sich über den Vater von Annas Jungen wunderten, weil der nie kam, nach ihm zu sehen. Wenn sie keinen Vater für ihr Kind zeigen konnte, mußte der Hof bald ins Gerede kommen.

An einem Sonntagmorgen spannte der Bauer an und hieß Anna laut mitkommen, ein Kalb in einem Nachbardorf abzuholen. Auf dem ratternden Fahrweg teilte er ihr mit, daß er für sie einen Mann gesucht und gefunden hätte. Es war ein todkranker Häusler, der kaum den ausgemergelten Kopf vom schmierigen Laken heben konnte, als die beiden in seiner niedrigen Hütte standen.

Er war willig, Anna zu ehelichen. Am Kopfende des Lagers stand eine gelbhäutige Alte, seine Mutter. Sie sollte ein Entgelt für den Dienst, der Anna erwiesen wurde, bekommen.

Das Geschäft war in zehn Minuten ausgehandelt, und Anna und ihr Bruder konnten weiterfahren und ihr Kalb erstehen. Die Verehelichung fand Ende derselben Woche statt. Während der Pfarrer die Trauungsformel murmelte, wandte der Kranke nicht ein einziges Mal den glasigen Blick auf Anna. Ihr Bruder zweifelte nicht, daß sie den Totenschein in wenigen Tagen haben würden. Dann war Annas Mann und Kindsvater auf dem Weg zu ihr in einem Dorf bei Augsburg irgendwo gestorben, und niemand würde sich wundern, wenn die Witwe im Haus ihres Bruders bleiben würde.

Anna kam froh von ihrer seltsamen Hochzeit zurück, auf der es weder Kirchenglocken noch Blechmusik, weder Jungfern noch Gäste gegeben hatte. Sie verzehrte als Hochzeitsschmaus ein Stück Brot mit einer Scheibe Speck in der Speisekammer und trat mit ihrem Bruder dann vor die Kiste, in der das Kind lag, das jetzt einen Namen hatte. Sie stopfte das Laken fester und lachte ihren Bruder an.

Der Totenschein ließ allerdings auf sich warten.

Es kam weder die nächste noch die übernächste Woche Bescheid von der Alten. Anna hatte auf dem Hof erzählt, daß ihr Mann nun auf dem Weg zu ihr sei. Sie sagte nunmehr, wenn man sie fragte, wo er bliebe, der tiefe Schnee mache wohl die Reise beschwerlich. Aber nachdem weitere drei Wochen ver-

beunruhigt disturbed, worried

das **Fuhrwerk, -e** cart **knarren** to creak
aus•spannen to unhitch (horses)
sich zusammen•krampfen to contract (feel a pain in the heart)

übel bad

der **Todgeweihte, -n** (*adj. noun*) doomed man; *lit.:* consecrated unto death

gesunden to get well

die **Wendung, -en** turn (of events)

der **Eindruck, ⸚e** impression
jammern to wail, whine, lament
das **Weib, -er** woman, wife (*pejorative*)
zum Schweigen *verweisen to tell one to be quiet (*in rebuke*)
bedächtig slowly, deliberately

bekümmert troubled
den Jungen gehen lehren to teach the boy to walk
der **Spinnrocken, —** distaff **aus•strecken** to stretch out
zu•wackeln (s) **auf** + *acc.* to totter toward das **Schluchzen, —** sob
umklammern to grasp, clutch

die **Kerze, -n** candle
ein abgearbeiteter Fünfziger a worn-out fifty-year-old
halt so just like

der **Aufwand, ⸚e (an)** display (of), show (of)
die **Heimlichkeit, -en** secrecy **aus•richten** to deliver a message

die **Verehelichten** the married people (*i.e.,* couple)
antik classical (*referring to classical antiquity*)
der **Feldherr, -n, -en** commander, general
die **Schlachtreihe, -n** battle line
das **Gelände** region; *here:* open country

gangen waren, fuhr ihr Bruder doch, ernstlich beunruhigt, in das Dorf bei Augsburg.

Er kam spät in der Nacht zurück. Anna war noch auf und lief zur Tür, als sie das Fuhrwerk auf dem Hof knarren hörte. Sie sah, wie langsam der Bauer ausspannte, und ihr Herz krampfte sich zusammen.

Er brachte üble Nachricht. In die Hütte tretend hatte er den Todgeweihten beim Abendessen am Tisch sitzend vorgefunden, in Hemdsärmeln mit beiden Backen kauend. Er war wieder völlig gesundet.

Der Bauer sah Anna nicht ins Gesicht, als er weiter berichtete. Der Häusler, er hieß übrigens Otterer, und seine Mutter schienen über die Wendung ebenfalls überrascht und waren wohl noch zu keinem Entschluß gekommen, was zu geschehen hätte. Otterer habe keinen unangenehmen Eindruck gemacht. Er hatte wenig gesprochen, jedoch einmal seine Mutter, als sie darüber jammern wollte, daß er nun ein ungewünschtes Weib und ein fremdes Kind auf dem Hals habe, zum Schweigen verwiesen. Er aß bedächtig seine Käsespeise weiter während der Unterhaltung und aß noch, als der Bauer wegging.

Die nächsten Tage war Anna natürlich sehr bekümmert. Zwischen ihrer Hausarbeit lehrte sie den Jungen gehen. Wenn er den Spinnrocken losließ und mit ausgestreckten Ärmchen auf sie zugewackelt kam, unterdrückte sie ein trockenes Schluchzen und umklammerte ihn fest, wenn sie ihn auffing.

Einmal fragte sie ihren Bruder: Was ist er für einer? Sie hatte ihn nur auf dem Sterbebett gesehen und nur abends, beim Schein einer schwachen Kerze. Jetzt erfuhr sie, daß ihr Mann ein abgearbeiteter Fünfziger sei, halt so, wie ein Häusler ist.

Bald darauf sah sie ihn. Ein Hausierer hatte ihr mit einem großen Aufwand an Heimlichkeit ausgerichtet, daß „ein gewisser Bekannter" sie an dem und dem Tag zu der und der Stunde bei dem und dem Dorf, da wo der Fußweg nach Landsberg abgeht, treffen wolle. So begegneten die Verehelichten sich zwischen ihren Dörfern wie die antiken Feldherren zwischen ihren Schlachtreihen, im offenen Gelände, das von Schnee bedeckt war.

der **Zahn, ⸚e** tooth
der **Schafpelz, -e** sheepskin coat
das **Sakrament, -e** sacrament
kurz *here:* abruptly **sich alles überlegen** to think it all over
der **Händler, —** salesman der **Schlächter, —** butcher
aus•richten *lassen to have a message delivered

***auf•bringen** to annoy, irritate
die **Botschaft, -en** message
mit einem Gedanken *um•gehen to turn an idea over in one's mind, toy with it

der **Aufenthalt, —** stay

mißtrauisch suspicious, mistrustful

***beschließen** to resolve

trüb dull

die **Besserung, -en** improvement
das **Lächeln, —** smile

sich verstellen to put up a front, dissemble
der **Schreck(en)** terror, fear

äußern to express, say **seinerseits** for his part
erwähnen to mention

unterdrücken to suppress

Der Mann gefiel Anna nicht.

Er hatte kleine graue Zähne, sah sie von oben bis unten an, obwohl sie in einem dicken Schafspelz streckte und nicht viel zu sehen war, und gebrauchte dann die Wörter „Sakrament der Ehe". Sie sagte ihm kurz, sie müsse sich alles noch überlegen 5 und er möchte ihr durch irgend einen Händler oder Schlächter, der durch Groß-Saitingen kam, vor ihrer Schwägerin ausrichten lassen, er werde jetzt bald kommen und sei nur auf dem Weg erkrankt.

Otterer nickte in seiner bedächtigen Weise. Er war über einen 10 Kopf größer als sie und blickte immer auf ihre linke Halsseite beim Reden, was sie aufbrachte.

Die Botschaft kam aber nicht, und Anna ging mit dem Gedanken um, mit dem Kind einfach vom Hof zu gehen und weiter südwärts, etwa in Kempten oder Sonnthofen, eine Stellung 15 zu suchen. Nur die Unsicherheit der Landstraßen, über die viel geredet wurde, und daß es mitten im Winter war, hielt sie zurück.

Der Aufenthalt auf dem Hof wurde aber jetzt schwierig. Die Schwägerin stellte am Mittagstisch vor allem Gesinde 20 mißtrauische Fragen nach ihrem Mann. Als sie einmal sogar, mit falschem Mitleid auf das Kind sehend, laut „armes Wurm" sagte, beschloß Anna, doch zu gehen, aber da wurde das Kind krank.

Es lag unruhig mit hochrotem Kopf und trüben Augen in 25 seiner Kiste, und Anna wachte ganze Nächte über ihn in Angst und Hoffnung. Als es sich wieder auf dem Weg zur Besserung befand und sein Lächeln zurückgefunden hatte, klopfte es eines Vormittags an die Tür, und herein trat Otterer. Es war niemand außer Anna und dem Kind in der Stube, so daß sie sich nicht 30 verstellen mußte, was ihr bei ihrem Schrecken auch wohl unmöglich gewesen wäre. Sie standen eine gute Weile wortlos, dann äußerte Otterer, er habe die Sache seinerseits überlegt und sei gekommen, sie zu holen. Er erwähnte wieder das Sakrament der Ehe. 35

Anna wurde böse. Mit fester, wenn auch unterdrückter

als daß but that

flüchtig hastily, fleetingly
brabbeln to babble
***ein•nehmen gegen** to prejudice against
die **Redensart, -en** saying, cliché
bei ihm sei Schmalhans Küchenmeister there was little to eat at his place

neugierig curiously
nachlässig casual
vor•täuschen to pretend
verraten to betray
einsilbig in monosyllables

***vermeiden** to avoid
hacken to chop
auf•fordern to call upon, ask (one to do something)
das **Deckbett, -en** quilt
die **Kammer, -n** small room
merkwürdigerweise which was strange under the circumstances
murmeln to mumble, murmur
abwesend absent, vacant
an•rühren to touch
in ein Fieber *verfallen to fall into a fever
teilnahmslos indifferent, apathetic
***nach•lassen** to abate, let up
zurecht•stopfen to straighten (the covers)
***vor•fahren** (s) to drive up
der **Leiterwagen, —** cart, hay wagon

zu Kräften *kommen (s) to gain strength

Stimme sagte sie dem Mann, sie denke nicht daran, mit ihm zu leben, sie sei die Ehe nur eingegangen ihres Kindes wegen und wolle von ihm nichts, als daß er ihr und dem Kind seinen Namen gebe.

Otterer blickte, als sie von dem Kind sprach, flüchtig nach der Richtung der Kiste, in der es lag und brabbelte, trat aber nicht hinzu. Das nahm Anna noch mehr gegen ihn ein.

Er ließ ein paar Redensarten fallen; sie solle sich alles noch einmal überlegen, bei ihm sei Schmalhans Küchenmeister, und seine Mutter könne in der Küche schlafen. Dann kam die Bäuerin herein, begrüßte ihn neugierig und lud ihn zum Mittagessen. Den Bauern begrüßte er, schon am Teller sitzend, mit einem nachlässigen Kopfnicken, weder vortäuschend, er kenne ihn nicht, noch verratend, daß er ihn kannte. Auf die Fragen der Bäuerin antwortete er einsilbig, seine Blicke nicht vom Teller hebend, er habe in Mering eine Stelle gefunden, und Anna könne zu ihm ziehen. Jedoch sagte er nichts mehr davon, daß dies gleich sein müsse.

Am Nachmittag vermied er die Gesellschaft des Bauern und hackte hinter dem Haus Holz, wozu ihn niemand aufgefordert hatte. Nach dem Abendessen, an dem er wieder schweigend teilnahm, trug die Bäuerin selber ein Deckbett in Annas Kammer, damit er dort übernachten konnte, aber da stand er merkwürdigerweise schwerfällig auf und murmelte, daß er noch am selben Abend zurück müsse. Bevor er ging, starrte er mit abwesendem Blick in die Kiste mit dem Kind, sagte aber nichts und rührte es nicht an.

In der Nacht wurde Anna krank und verfiel in ein Fieber, das wochenlang dauerte. Die meiste Zeit lag sie teilnahmslos, nur ein paarmal gegen Mittag, wenn das Fieber etwas nachließ, kroch sie zu der Kiste, mit dem Kind und stopfte die Decke zurecht.

In der vierten Woche ihrer Krankheit fuhr Otterer mit einem Leiterwagen auf dem Hof vor und holte sie und das Kind ab. Sie ließ es wortlos geschehen.

Nur sehr langsam kam sie wieder zu Kräften, kein Wunder bei den dünnen Suppen in der Häuslerhütte. Aber eines Morgens

entschlossen with decision, determinedly

die **Geschwindigkeit, -en** speed
auf•patschen to clap

der **Zuber, —** tub die **Zuversicht** confidence
freilich to be sure, however
wickeln to wrap

die **Schneeschmelze, -n** thaw
geizig stingy
sich verstauchen to sprain

bangen um to worry about

der **Fluchtversuch, -e** attempt to flee
ihr Los *hin•nehmen to accept her lot (fate)
die **Wirtschaft, -en** household **in Gang *halten** to keep it going

mitunter now and then

ein•färben to dye
der **Färber, —** dyer
wurde zufrieden gestimmt became contented
erleben to experience die **Erziehung, -en** education
***vergehen** (s) to pass

die **Kutsche, -n** carriage

sah sie, wie schmutzig das Kind gehalten war, und stand entschlossen auf.

Der Kleine empfing sie mit seinem freundlichen Lächeln, von dem ihr Bruder immer behauptet hatte, er habe es von ihr. Er war gewachsen und kroch mit unglaublicher Geschwindigkeit in der Kammer herum, mit den Händen aufpatschend und kleine Schreie ausstoßend, wenn er auf das Gesicht niederfiel. Sie wusch ihn in einem Holzzuber und gewann ihre Zuversicht zurück.

Wenige Tage später freilich konnte sie das Leben in der Hütte nicht mehr aushalten. Sie wickelte den Kleinen in ein paar Decken, steckte ein Brot und etwas Käse ein und lief weg.

Sie hatte vor, nach Sonnthofen zu kommen, kam aber nicht weit. Sie war noch recht schwach auf den Beinen, die Landstraße lag unter der Schneeschmelze, und die Leute in den Dörfern waren durch den Krieg sehr mißtrauisch und geizig geworden. Am dritten Tag ihrer Wanderung verstauchte sie sich den Fuß in einem Straßengraben und wurde nach vielen Stunden, in denen sie um das Kind bangte, auf einen Hof gebracht, wo sie im Stall liegen mußte. Der Kleine kroch zwischen den Beinen der Kühe herum und lachte nur, wenn sie ängstlich aufschrie. Am Ende mußte sie den Leuten des Hofs den Namen ihres Mannes sagen, und er holte sie wieder nach Mering.

Von nun an machte sie keinen Fluchtversuch mehr und nahm ihr Los hin. Sie arbeitete hart. Es war schwer, aus dem kleinen Acker etwas herauszuholen und die winzige Wirtschaft in Gang zu halten. Jedoch war der Mann nicht unfreundlich zu ihr, und der Kleine wurde satt. Auch kam ihr Bruder mitunter herüber und brachte dies und jenes als Präsent, und einmal konnte sie dem Kleinen sogar ein Röcklein rot einfärben lassen. Das, dachte sie, mußte dem Kind eines Färbers gut stehen.

Mit der Zeit wurde sie ganz zufrieden gestimmt und erlebte viele Freude bei der Erziehung des Kleinen. So vergingen mehrere Jahre.

Aber eines Tages ging sie ins Dorf Sirup holen, und als sie zurückkehrte, war das Kind nicht in der Hütte, und ihr Mann berichtete ihr, daß eine feingekleidete Frau in einer Kutsche

taumeln to stagger, reel
das **Entsetzen** horror

vor•lassen to admit
vergebens in vain   der **Trost** consolation
die **Behörde, -n** *here:* the authorities
an•deuten to suggest, indicate
***erfahren** to find out, experience   **daraufhin** thereupon, after that
herrschen to prevail, rule

aus•richten to achieve
der **Glücksumstand, ⸚e** fortunate circumstance
die **Rechtssache, -n** lawsuit   ***verweisen an** + *acc.* to refer to

die **Grobheit, -en** coarseness, rudeness
die **Gelehrsamkeit** learnedness, erudition
der **Kurfürst, -en** Elector (in the Holy Roman Empire)
der **Rechtsstreit, -e** lawsuit   ***aus•tragen** *here:* to arbitrate, decide
der **Mistbauer, -n** dirt, dung farmer   **taufen** to christen
die **Moritat, -en** street ballad   **löblich** praisingly
begleiten to accompany
ungemein uncommonly   **fleischig** fleshy
kahl bare   der **Stoß, ⸚e** pile
das **Pergament, -e** parchment, documents
brummen to growl   **dirigieren** to conduct, direct
plump clumsy

der **Stoßseufzer, —** deep sigh
der **Gerichtsdiener, —** bailiff
die **Schwelle, -n** threshold
der **Ton, ⸚e** tone, sound; *here:* word
***gehen** (s) **um** to be a matter of, be at stake
ein pfundiges Anwesen a "great" piece of property
verstockt obdurate

vorgefahren sei und das Kind geholt habe. Sie taumelte an die Wand vor Entsetzen, und am selben Abend noch machte sie sich, nur ein Bündel mit Eßbarem tragend, auf den Weg nach Augsburg.

Ihr erster Gang in der Reichsstadt war zur Gerberei. Sie wurde nicht vorgelassen und bekam das Kind nicht zu sehen. Schwester und Schwager versuchten vergebens, ihr Trost zuzureden. Sie lief zu den Behörden und schrie außer sich, man habe ihr Kind gestohlen. Sie ging so weit, anzudeuten, daß Protestanten ihr Kind gestohlen hätten. Sie erfuhr daraufhin, daß jetzt andere Zeiten herrschten und zwischen Katholiken und Protestanten Friede geschlossen worden sei.

Sie hätte kaum etwas ausgerichtet, wenn ihr nicht ein besonderer Glücksumstand zu Hilfe gekommen wäre. Ihre Rechtssache wurde an einen Richter verwiesen, der ein ganz besonderer Mann war.

Es war der Richter Ignaz Dollinger, in ganz Schwaben berühmt wegen seiner Grobheit und Gelehrsamkeit, vom Kurfürsten von Bayern, mit dem er einen Rechtsstreit der freien Reichsstadt ausgetragen hatte, „dieser lateinische Mistbauer" getauft, vom niedrigen Volk aber in einer langen Moritat löblich besungen.

Von Schwester und Schwager begleitet kam Anna vor ihn. Der kurze, aber ungemein fleischige alte Mann saß in einer winzigen kahlen Stube zwischen Stößen von Pergamenten und hörte sie nur ganz kurz an. Dann schrieb er etwas auf ein Blatt, brummte: „Tritt dorthin, aber mach schnell!" und dirigierte sie mit seiner kleinen plumpen Hand an eine Stelle des Raums, auf die durch das schmale Fenster das Licht fiel. Für einige Minuten sah er genau ihr Gesicht an, dann winkte er sie mit einem Stoßseufzer weg.

Am nächsten Tag ließ er sie durch einen Gerichtsdiener holen und schrie sie, als sie noch auf der Schwelle stand, an: „Warum hast du keinen Ton davon gesagt, daß es um eine Gerberei mit einem pfundigen Anwesen geht?"

Anna sagte verstockt, daß es ihr um das Kind gehe.

sich ein•bilden to imagine, think
schnappen to latch onto, get hold of
***fallen an** *here:* to go to (them)

husten to cough
ärgerlich annoyed, angry

der **Knirps, -e** pigmy, little thing die **Ziege, -n** she-goat
der **Seidenrock, ¨-e** silk shirt

der **Platz, ¨-e** *here:* square
der **Perlachturm** Perlach Tower
der **Prozeß, -sse** trial **bei•wohnen** + *dat.* to attend, be present at
Aufsehen erregen to attract attention

volkstümlich folksy, popular
Redensarten turns of phrase der **Weisheitsspruch, ¨-e** wise saying
die **Verhandlung, -en** court sessions
Plärrer und Kirchweih folk festivals, church festival and fair
sich stauen to be jammed

die **Erwartung, -en** expectation

verhandeln to have court sessions

die **Säule, -n** column
der **Dachfirst, -e** roof ridge

das **Erztor, -e** bronze gate die **Längswand, ¨-e** longer wall
das **Seil, -e** rope der **Zuhörer, —** listener; *pl.:* audience
der **Boden, ¨** floor

„Bild dir nicht ein, daß du die Gerberei schnappen kannst", schrie der Richter. „Wenn der Bankert wirklich deiner ist, fällt das Anwesen an die Verwandten von dem Zingli."

Anna nickte, ohne ihn anzuschauen. Dann sagte sie: „Er braucht die Gerberei nicht."

„Ist er deiner?" bellte der Richter.

„Ja," sagte sie leise. „Wenn ich ihn nur so lange behalten dürfte, bis er alle Wörter kann. Er weiß erst sieben."

Der Richter hustete und ordnete die Pergamente auf seinem Tisch. Dann sagte er ruhiger, aber immer noch in ärgerlichem Ton:

„Du willst den Knirps, und die Ziege da mit ihren fünf Seidenröcken will ihn. Aber er braucht die rechte Mutter."

„Ja", sagte Anna und sah den Richter an.

„Verschwind", brummte er. „Am Samstag halt ich Gericht."

An diesem Samstag war die Hauptstraße und der Platz vor dem Rathaus am Perlachturm schwarz von Menschen, die dem Prozeß um das Protestantenkind beiwohnen wollten. Der sonderbare Fall hatte von Anfang an viel Aufsehen erregt, und in Wohnungen und Wirtschaften wurde darüber gestritten, wer die echte und wer die falsche Mutter war. Auch war der alte Dollinger weit und breit berühmt wegen seiner volkstümlichen Prozesse mit ihren bissigen Redensarten und Weisheitssprüchen. Seine Verhandlungen waren beliebter als Plärrer und Kirchweih.

So stauten sich vor dem Rathaus nicht nur viele Augsburger; auch nicht wenige Bauersleute der Umgegend waren da. Freitag war Markttag und sie hatten in Erwartung des Prozesses in der Stadt übernachtet.

Der Saal, in dem der Richter Dollinger verhandelte, war der sogenannte Goldene Saal. Er war berühmt als einziger Saal von dieser Größe in ganz Deutschland, der keine Säulen hatte; die Decke war an Ketten im Dachfirst aufgehängt.

Der Richter Dollinger saß, ein kleiner runder Fleischberg, vor dem geschlossenen Erztor der einen Längswand. Ein gewöhnliches Seil trennte die Zuhörer ab. Aber der Richter saß auf ebenem Boden und hatte keinen Tisch vor sich. Er hatte selber

die **Anordnung, -en (*treffen)** (to make) an arrangement
die **Aufmachung, -en** staging, get-up

anwesend present **ab•seilen** to rope off

würdig dignified
wohlbestallt well-fixed, well-established

die **Amme, -n** nursemaid
der **Zeuge, -n** witness
pflegte zu sagen used to say, always said ***aus•fallen** (s) *here:* to last
der **Beteiligte, -n** (*adj. noun*) one taking part

die **Fußspitze, -n** tiptoe
aus•renken to dislocate, crane (one's neck)
der **Zwischenfall, ⸚e** incident, disturbance
erblicken to catch sight of **einen Schrei *aus•stoßen** let out a cry
strampeln to kick
brüllen to howl

rauschen to rustle **schildern** to describe
das **Sacktüchlein, —** handkerchief **lüften** *here:* to raise
***entreißen** to take, tear something from a person

jedoch however
***an•nehmen** to assume
sich bemächtigen + *gen.* to take possession of **erpressen** to extort
über kurz oder lang sooner or later
die **Forderung, -en** demand

vor Jahren diese Anordnung getroffen; er hielt viel von Aufmachung.

Anwesend innerhalb des abgeseilten Raums waren Frau Zingli mit ihren Eltern, die zugereisten Schweizer Verwandten des verstorbenen Herrn Zingli, zwei gutgekleidete würdige Männer, aussehend wie wohlbestallte Kaufleute, und Anna Otterer mit ihrer Schwester. Neben Frau Zingli sah man eine Amme mit dem Kind.

Alle, Parteien und Zeugen, standen. Der Richter Dollinger pflegte zu sagen, daß die Verhandlungen kürzer ausfielen, wenn die Beteiligten stehen mußten. Aber vielleicht ließ er sie auch nur stehen, damit sie ihn vor dem Publikum verdeckten, so daß man ihn nur sah, wenn man sich auf die Fußspitzen stellte und den Hals ausrenkte.

Zu Beginn der Verhandlung kam es zu einem Zwischenfall. Als Anna das Kind erblickte, stieß sie einen Schrei aus und trat vor, und das Kind wollte zu ihr, strampelte heftig in den Armen der Amme und fing an zu brüllen. Der Richter ließ es aus dem Saal bringen.

Dann rief er Frau Zingli auf.

Sie kam vorgerauscht und schilderte, ab und zu ein Sacktüchlein an die Augen lüftend, wie bei der Plünderung die kaiserlichen Soldaten ihr das Kind entrissen hätten. Noch in derselben Nacht war die Magd in das Haus ihres Vaters gekommen und hatte berichtet, das Kind sei noch im Haus, wahrscheinlich in Erwartung eines Trinkgelds. Eine Köchin ihres Vaters habe jedoch das Kind, in die Gerberei geschickt, nicht vorgefunden, und sie nehme an, die Person (sie deutete auf Anna) habe sich seiner bemächtigt, um irgendwie Geld erpressen zu können. Sie wäre auch wohl über kurz oder lang mit solchen Forderungen hervorgekommen, wenn man ihr nicht zuvor das Kind abgenommen hätte.

Der Richter Dollinger rief die beiden Verwandten des Herrn Zingli auf und fragte sie, ob sie sich damals nach Herrn Zingli erkundigt hätten und was ihnen von Frau Zingli erzählt worden sei.

an•vertrauen to entrust die **Hut** custody, keeping

die **Aussage, -n** testimony

der **Überfall, ¨-e** attack

verwundert amazed
kränken to insult

sich räuspern to clear one's throat

verhauen to beat soundly

die **Voruntersuchung, -en** preliminary investigation
horchen to listen, hearken

ledig illegitimate
der **Nachbarort, -e** neighboring village
***unter•bringen bei** to put up at (someone's place)
schnappen to snap

verspüren to perceive, feel **fest•stellen** to ascertain

die **Vernunft** reason
sich kümmern um to worry about

Sie sagten aus, Frau Zingli habe sie wissen lassen, ihr Mann sei erschlagen worden, und das Kind habe sie einer Magd anvertraut, bei der es in guter Hut sei. Sie sprachen sehr unfreundlich von ihr, was allerdings kein Wunder war, denn das Anwesen fiel an sie, wenn der Prozeß für Frau Zingli verlorenging. 5

Nach ihrer Aussage wandte sich der Richter wieder an Frau Zingli und wollte von ihr wissen, ob sie nicht einfach bei dem Überfall damals den Kopf verloren und das Kind im Stich gelassen habe. 10

Frau Zingli sah ihn mit ihren blassen blauen Augen wie verwundert an und sagte gekränkt, sie habe ihr Kind nicht im Stich gelassen.

Der Richter Dollinger räusperte sich und fragte sie interessiert, ob sie glaube, daß keine Mutter ihr Kind im Stich lassen könnte. 15

Ja, das glaube sie, sagte sie fest.

Ob sie dann glaube, fragte der Richter weiter, daß einer Mutter, die es doch tue, der Hintern verhauen werden müßte, gleichgültig, wieviele Röcke sie darüber trage.

Frau Zingli gab keine Antwort, und der Richter rief die frühere Magd Anna auf. Sie trat schnell vor und sagte mit leiser Stimme, was sie schon bei der Voruntersuchung gesagt hatte. Sie redete aber, als ob sie zugleich horchte, und ab und zu blickte sie nach der großen Tür, hinter die man das Kind gebracht hatte, als fürchtete sie, daß es immer noch schreie. 20 25

Sie sagte aus, sie sei zwar in jener Nacht zum Haus von Frau Zinglis Onkel gegangen, dann aber nicht in die Gerberei zurückgekehrt, aus Furcht vor den Kaiserlichen und weil sie Sorgen um ihr eigenes, lediges Kind gehabt habe, das bei guten Leuten im Nachbarort Lechhausen untergebracht gewesen sei. 30

Der alte Dollinger unterbrach sie grob und schnappte, es habe also zumindest eine Person in der Stadt gegeben, die so etwas wie Furcht verspürt habe. Er freue sich, das feststellen zu können, denn es beweise, daß eben zumindest eine Person damals einige Vernunft besessen habe. Schön sei es allerdings von der Zeugin nicht gewesen, daß sie sich nur um ihr eigenes 35

im Volksmund popularly

das **Eigentum, ¨er** possession

die **Abgefeimtheit, -en** cunning **an•schwindeln** to swindle
der **Abstecher, —** digression

verpantschen to adulterate (add water to)
die **Steuer, -n** tax
verkündigen to announce
***ergeben** to produce, yield
das **Anzeichen, —** sign, indication
die **Ratlosigkeit** helplessness
der **Vorschlag, ¨e** suggestion

verblüfft dumbfounded, amazed, nonplussed
der **Hals, ¨e** neck **erwischen** to catch

die **Menge, -n** crowd
das Wort *ergreifen to speak up, take the floor
fest•stellen (s) to establish, ascertain
bedauern to pity
sich drücken to make oneself scarce
der **Schuft, -e** scoundrel, lout
sich melden to report; *here:* to come forward
der **Gerichtshof, ¨e** court (of justice)
geschlagen *here:* exactly
die **Überzeugung, -en** conviction **gelangen zu** to come to, arrive at
wie gedruckt lügen to lie like a book, lie in one's teeth
***ein•gehen** (s) **auf** + *acc.* to enter into **bloß** mere
das **Geschwätz, -e** idle chatter

ärgerlich irritated, annoyed

Kind gekümmert habe, andererseits aber heiße es ja im Volksmund, Blut sei dicker als Wasser, und was eine rechte Mutter sei, die gehe auch stehlen für ihr Kind, das sei aber vom Gesetz streng verboten, denn Eigentum sei Eigentum, und wer stehle, der lüge auch, und lügen sei ebenfalls vom Gesetz verboten. Und dann hielt er eine seiner weisen und derben Lektionen über die Abgefeimtheit der Menschen, die das Gericht anschwindelten, bis sie blau im Gesicht seien, und nach einem kleinen Abstecher über die Bauern, die die Milch unschuldiger Kühe mit Wasser verpantschten, und den Magistrat der Stadt, der zu hohe Marktsteuern von den Bauern nehme, der überhaupt nichts mit dem Prozeß zu tun hatte, verkündigte er, daß die Zeugenaussage geschlossen sei und nichts ergeben habe.

Dann machte er eine lange Pause und zeigte alle Anzeichen der Ratlosigkeit, sich umblickend, als erwarte er von irgendeiner Seite her einen Vorschlag, wie man zu einem Schluß kommen könnte.

Die Leute sahen sich verblüfft an, und einige reckten die Hälse, um einen Blick auf den hilflosen Richter zu erwischen. Es blieb aber sehr still im Saal, nur von der Straße herauf konnte man die Menge hören.

Dann ergriff der Richter wieder seufzend das Wort.

„Es ist nicht festgestellt worden, wer die rechte Mutter ist", sagte er. „Das Kind ist zu bedauern. Man hat schon gehört, daß die Väter sich oft drücken und nicht die Väter sein wollen, die Schufte, aber hier melden sich gleich zwei Mütter. Der Gerichtshof hat ihnen so lange zugehört, wie sie es verdienen, nämlich einer jeden geschlagene fünf Minuten, und der Gerichtshof ist zu der Überzeugung gelangt, daß beide wie gedruckt lügen. Nun ist aber, wie gesagt, auch noch das Kind zu bedenken, das eine Mutter haben muß. Man muß also, ohne auf bloßes Geschwätz einzugehen, feststellen, wer die rechte Mutter des Kindes ist."

Und mit ärgerlicher Stimme rief er den Gerichtsdiener und befahl ihm, eine Kreide zu holen.

Der Gerichtsdiener ging und brachte ein Stück Kreide.

***an•weisen** to instruct, direct
knieen to kneel

das **Geplärr** continual bawling, blubbering
die **Ansprache, -n** address, speech

die **Probe, -n** test ***vor•nehmen** to undertake, intend

verkünden to announce, proclaim ***gelten** to be considered

der **Grundgedanke, -n** basic idea

***erkennen an** + *dat.* to recognize by

erproben to test

plärrend blubbering, bawling

sich bemühen to try, attempt

verstummen (s) to become silent
ahnen to suspect, have a presentiment
tränenüberströmt drenched with tears

heftig violent der **Ruck, -e** jerk, tug

verstört disconcerted, troubled **ungläubig** incredulous, unbelieving

Schaden *erleiden to suffer harm

„Zieh mit der Kreide da auf dem Fußboden einen Kreis, in dem drei Personen stehen können“, wies ihn der Richter an.

Der Gerichtsdiener kniete nieder und zog mit der Kreide den gewünschten Kreis.

„Jetzt bring das Kind“, befahl der Richter.

Das Kind wurde hereingebracht. Es fing wieder an zu heulen und wollte zu Anna. Der alte Dollinger kümmerte sich nicht um das Geplärr und hielt seine Ansprache nur in etwas lauterem Ton.

„Diese Probe, die jetzt vorgenommen werden wird“, verkündete er, „habe ich in einem alten Buch gefunden, und sie gilt als recht gut. Der einfache Grundgedanke der Probe mit dem Kreidekreis ist, daß die echte Mutter an ihrer Liebe zum Kind erkannt wird. Also muß die Stärke dieser Liebe erprobt werden. Gerichtsdiener, stell das Kind in diesen Kreidekreis.“

Der Gerichtsdiener nahm das plärrende Kind von der Hand der Amme und führte es in den Kreis.

Der Richter fuhr fort, sich an Frau Zingli und Anna wendend:

„Stellt auch ihr euch in den Kreidekreis, faßt jede eine Hand des Kindes, und wenn ich ‚los‘ sage, dann bemüht euch, das Kind aus dem Kreis zu ziehen. Die von euch die stärkere Liebe hat, wird auch mit der größeren Kraft ziehen und so das Kind auf ihre Seite bringen.“

Im Saal war es unruhig geworden. Die Zuschauer stellten sich auf die Fußspitzen und stritten sich mit den vor ihnen Stehenden.

Es wurde aber wieder totenstill, als die beiden Frauen in den Kreis traten und jede eine Hand des Kindes faßte. Auch das Kind war verstummt, als ahnte es, um was es ging. Es hielt sein tränenüberströmtes Gesichtchen zu Anna emporgewendet. Dann kommandierte der Richter „los“.

Und mit einem einzigen heftigen Ruck riß Frau Zingli das Kind aus dem Kreidekreis. Verstört und ungläubig sah Anna ihm nach. Aus Furcht, es könne Schaden erleiden, wenn es an beiden Ärmchen zugleich in zwei Richtungen gezogen würde, hatte sie es sogleich losgelassen.

die **Schlampe, -n** tramp (*female*), slut
kalten Herzens coldheartedly

die **Umgebung, -en** environs, surroundings
die nicht auf den Kopf gefallen waren who were not stupid (who were not dropped on their heads as babies)
***zu•sprechen** to award **zwinkern** to wink

Der alte Dollinger stand auf.

„Und somit wissen wir“, sagte er laut, „wer die rechte Mutter ist. Nehmt der Schlampe das Kind weg. Sie würde es kalten Herzens in Stücke reißen.“

Und er nickte Anna zu und ging schnell aus dem Saal, zu seinem Frühstück. 5

Und in den nächsten Wochen erzählten sich die Bauern der Umgebung, die nicht auf den Kopf gefallen waren, daß der Richter, als er der Frau aus Mering das Kind zusprach, mit den Augen gezwinkert habe. 10

Exercises

Synthetic Exercises

Form complete sentences in the tense(s) indicated.

A.

1. Zeit / Dreißig-jährig- / Krieg / besitzen / Schweizer Protestant / Zingli / groß / Gerberei / frei / Reichsstadt Augsburg (*past*)
2. Er / sein / verheiratet / Augsburgerin (*past and perf.*)
3. Als / Katholisch / marschieren / Stadt // Freunde / raten / Mann / Flucht (*past*)
4. Vielleicht / Familie / halten / Mann // oder / vielleicht / er / wollen / lassen / Gerberei / nicht / Stich (*past*)
5. Jedenfalls / er / können / sich entschließen / nicht // beizeiten / weggehen (*past, final clause infinitival constr.*)
6. Er / sein / noch / Stadt // als / kaiserlich / Truppen / stürmen / sie (*past*)
7. Als / Abend / geplündert (*passive*) // er / sich verstekken / Grube / wo / Farben / aufbewahrt (*passive*) (*past*)

B.

1. Frau / sollen / ziehen / Verwandte / Vorstadt // aber / sie / aufhalten / sich / zu lange / — // Sachen / packen (*past, final clause infinitival constr.*)
2. Sie / sehen / Rotte / kaiserlich / Soldaten / dringen / Hof (*past*)

3. Außer . . . / Schrecken / sie / lassen / stehen / alles // und / weglaufen (*past and perf.*)
4. Kind / liegen / Diele / Wiege // und / spielen / Holzball (*past*)
5. Magd / stürzen / Fenster // und / sehen // wie / allerhand / Beutestücke / geworfen (*passive*) / Gasse (*past*)

C.

1. Magd / laufen / Diele // und / wollen / nehmen / Kind / Wiege // als / sie / hören / Geräusch / schwer / Schläge / gegen / Haustür (*past and perf.*)
2. Sie / ergriffen (*passive*) / Panik // und / hinauffliegen / Treppe (*past*)
3. Soldaten / schlagen / alles / klein // weil / sie / wissen // daß / sich befinden / Haus / Protestant (*past*)
4. Es / sein / Wunder // daß / Anna / bleiben / Durchsuchung / unentdeckt (*past*)
5. Magd / herausklettern / Schrank // nehmen / Kind // und / wegschleichen (*past*)
6. Es / werden / dunkel // aber / Schein / brennend / Haus / erhellen / Hof (*1st clause past perf., 2nd clause past*)
7. Soldaten / ziehen / Hausherr / Grube // und / erschlagen / ihn (*past and past perf.*)

D.

1. Es / werden / Magd / klar // welch / Gefahr / sie / laufen (*pres. and past*)
2. Anna / zurücklegen / Kind / schwer / Herz / Wiege // und / sich machen / Weg / zu / Schwester (*past*)
3. Anna / sich drängen / Getümmel // um Frau Zingli / aufsuchen (*past, final clause infinitival constr.*)
4. Onkel / herausstecken / Kopf // und / Anna / berichten / atemlos // daß / Kind / sein / unversehrt (*past, final clause subj. I pres.*)
5. Onkel / sagen // er / haben / Protestantenbankert / nichts / schaffen (*1st clause past, 2nd clause subj. I pres.*)
6. Frau Zingli / sich schämen / nicht // Kind / verleugnen (*past, final clause infinitival constr.*)

E.

1. Anna / erklären / Schwager // sie / wollen / zurückgehen / Gerberei / und / Kind / holen (*past, final clause subj. I pres.*)

2. Schwager / versuchen / Magd / gefährlich / Idee / ausreden (*past*)
3. Anna / zuhören / Schwager // und / versprechen // nichts / Unvernünftig- / tun (*past*)
4. Sie / durchsetzen / Willen // zurückgehen / allein // und / finden / schlafend / Kind / Wiege (*past*)
5. Anna / wagen / nicht // Licht / anzünden // aber / sie / können / sehen / Kind / gut (*past*)
6. Anna / sitzen / zu lange // und / sehen / zu viel // um / ohne / Kind / weggehen / können (*past perf., final clause infinitival constr.*)
7. Sie / aufstehen // und / verlassen / Hof / wie / Person / mit / schlecht / Gewissen (*past*)

F.

1. Sie / bringen / Kind / Land / Dorf // wo / älter / Bruder / sein (*past*)
2. Es / ausgemacht (*passive*) // daß / Anna / sollen / sagen / nur / Bruder // wer / Kind / sein (*1st clause past perf., 2nd and 3rd clauses past*)
3. Als / Anna / ankommen / dort // Bruder / und / Frau / sitzen / Mittagessen (*past*)
4. Blick / auf / Schwägerin / veranlassen / Magd // Kind / als / eigen- / vorstellen (*past, final clause infinitival constr.*)
5. Erst nachdem / Anna / erzählen // daß / sie / haben / Mann // auftauen / Bäuerin (*1st clause past perf., other clauses past*)
6. Als / Anna / sagen / Bruder / Wahrheit // sie / können / sehen // daß / ihm / nicht wohl / sein / in Haut (*past*)
7. Er / loben / Anna / sehr // daß / sie / halten / Mund (*1st clause past, 2nd clause past perf.*)
8. Auf / Länge / sein / es / nicht leicht // aufrechterhalten / Täuschung (*1st clause past, 2nd clause infinitival constr.*)

G.

1. Anna / mitarbeiten / Ernte // und / pflegen / Kind // wenn / andere / ausruhen (*past*)
2. Winter / kommen // und / Schwägerin / beginnen // sich erkundigen / Annas Mann (*past, final clause infinitival constr.*)
3. Anna / können / sich / auf / Hof / nützlich / machen (*past and perf.*)

4. Nachbarn / sich / wundern / Vater / Annas Junge // weil / er / kommen / nie (*past and perf.*)
5. Wenn / sie / können / zeigen / kein / Vater / für / Kind // Hof / müssen / kommen / Gerede (*past*)

H.

1. Bauer / mitteilen / Anna // daß / er / finden / für sie / Mann (*1st clause past, 2nd clause subj. I past*)
2. Es / sein / todkrank / Häusler // — / kaum / können / heben / Kopf (*past*)
3. Er / sein / willig // Anna / heiraten (*past, final clause infinitival constr.*)
4. Hochzeit / stattfinden / Ende / Woche (*past*)
5. Bruder / zweifeln / nicht // daß / sie / haben / Totenschein / wenige Tage (*1st clause past, 2nd clause subj. II pres.*)
6. Niemand / sich wundern // wenn / Witwe / bleiben / Haus / Bruder (*subj. II pres. and past*)
7. Anna / zurückkommen / froh / von / Hochzeit // denn / Kind / haben / jetzt / Name (*past*)
8. Sie / treten / mit / Bruder / vor / Kiste // in / (*which*) / Kind / liegen (*past*)

I.

1. Totenschein / lassen / warten / — / sich (*pres. and past*)
2. Es / kommen / — / nächste / — / übernächste / Woche / Bescheid / von / Alte (*past*)
3. Nachdem / drei Wochen / vergehen // Bruder / fahren / Dorf / Augsburg (*1st clause past perf., 2nd clause past*)
4. Anna / sein / noch auf // und / laufen / Tür // als / sie / hören / Fuhrwerk / kommen (*past*)
5. Bruder / bringen / übel / Nachricht // daß / Häusler / sein / völlig / gesundet (*past*)
6. In / Hütte / tretend / er / vorfinden / Todgeweihter / Abendessen / Tisch / sitzend (*past and past perf.*)
7. Häusler / und / Mutter / scheinen / ebenfalls / überrascht // und / kommen / kein / Entschluß (*1st clause past, 2nd clause past perf.*)
8. Er / machen / kein / unangenehm / Eindruck (*past and perf.*)
9. Mutter / jammern / -über // daß / Otterer / haben / ungewünscht / Weib / und / fremd / Kind / Hals (*past*)

J.

1. Zwischen / Hausarbeit / Anna / lehren / Kind / gehen (*past and perf.*)
2. Wenn / Junge / kommen / auf sie zu // Anna / unterdrücken / Schluchzen // und / umklammern / ihn / fest (*past*)
3. Anna / sehen / Otterer / nur / Sterbebett / Schein / schwach / Kerze (*past perf.*)
4. Anna / erfahren / jetzt // daß / Mann / sein / abgearbeiteter Fünfziger (*past*)
5. Verehelichte / sich begegnen / zwischen / ihr / Dörfer // wie / antik / Feldherren / zwischen / ihr / Schlachtreihen (*past*)
6. Er / ansehen / Anna / ... oben ... unten // und / gebrauchen / Wörter / „Sakrament der Ehe" (*past and perf.*)
7. Anna / sagen / Häusler / kurz // sie / müssen / sich überlegen / alles (*1st clause past, 2nd clause subj. I pres.*)
8. Otterer / sollen / ausrichten / lassen // daß / er / kommen / bald // und / sein / nur / Weg / erkrankt (*1st clause past, 2nd and 3rd clauses subj. I pres.*)

K.

1. Anna / umgehen / mit / Gedanken // mit / Kind / von / Hof / gehen // und / Stellung / suchen (*past, last 2 clauses infinitival constr.*)
2. Nur / Unsicherheit / Landstraßen // und / daß / es / sein / mitten / Winter // zurückhalten / sie (*past*)
3. Aufenthalt / werden / schwierig // weil / Schwägerin / stellen / mißtrauisch / Fragen (*past*)
4. Anna / beschließen // doch / gehen // aber / Kind / werden / krank (*past and perf.*)
5. Anna / wachen / ganz / Nächte / über / Kind (*past*)
6. Als / Kind / sich befinden / Weg / Besserung // es / klopfen / Vormittag / Tür // und / Otterer / hereintreten (*past*)
7. Es / sein / niemand / außer / Anna / und / Kind / Stube // so daß / Anna / müssen / sich verstellen / nicht (*past*)
8. Mit / fest / wenn auch / unterdrückt / Stimme / Anna / sagen / Mann // sie / denken / nicht / -an // mit ihm / leben (*past*)
9. Sie / eingehen / Ehe / nur / ihr / Kind / wegen (*past perf.*)

10. Otterer / blicken / nach / Kiste // aber / er / hinzutreten / nicht (*past*)

L.

1. Er / antworten / einsilbig / — / Fragen / Bäuerin // daß / er / finden / Stellung (*1st clause past, 2nd clause subj. I pres.*)
2. Nachmittag / er / vermeiden / Gesellschaft / Bauer // und / hacken / Holz (*past*)
3. Er / aufstehen / und / murmeln // daß / er / müssen / selb- / Abend / zurück (*past*)
4. Bevor / er / weggehen // er / starren / in / Kiste // aber / er / anrühren / Kind / nicht (*past*)
5. In / Nacht / Anna / werden / krank // und / verfallen / in / Fieber // — / dauern / wochenlang (*past*)
6. Wenn / Fieber / nachlassen // sie / kriechen / Kiste // und zurechtmachen / Decke (*past*)
7. In / vierte / Woche / Krankheit / Otterer / abholen / Anna / und / Kind (*past*)
   Anna / lassen / es / geschehen / wortlos (*past*)
8. Als / Anna / sehen / ein / Morgen // wie / schmutzig / Kind / sein // sie / aufstehen / entschlossen (*past*)
9. Kind / sein / gewachsen // und / herumkriechen / in / Kammer (*past*)

M.

1. Wenig- / Tage / später / Anna / können / aushalten / Leben / in / Hütte / nicht mehr (*past and perf.*)
2. Sie / wickeln / Kind / ein paar / Decken // und / weglaufen (*past and perf.*)
3. Sie / vorhaben // nach Sonnthofen / kommen // kommen / aber nicht weit (*past*)
4. Leute / in / Dörfer / werden / durch / Krieg / mißtrauisch und geizig (*past perf.*)
5. Sie / sich verstauchen / Fuß // und / gebracht (*passive*) / auf / Hof (*past*)
6. An / Ende / Anna / müssen / sagen / Name / Mann // und / Otterer / abholen / sie (*past and perf.*)

N.

1. Von nun an / Anna / machen / kein / Fluchtversuch / mehr // und / hinnehmen / ihr / Los (*past*)
2. Mit / Zeit / Anna / werden / zufrieden // und / erleben / viel / Freude / Erziehung / Kind (*past*)

3. Als / Anna / zurückkehren / ein / Tag / von / Dorf // Kind / sein / nicht / Hütte (*past*)
4. Mann / berichten / Anna // daß / feingekleidet / Frau / vorfahren // und / abholen / Kind (*1st clause past, 2nd and 3rd clauses subj. I past*)
5. — / selb- / Abend / Anna / machen / sich // nur / tragend / Bündel // auf / Weg / Augsburg (*past*)

O.

1. Anna / gehen / Gerberei // aber / sie / vorgelassen (*passive*) / nicht (*past and perf.*)
2. Anna / gehen / so weit // andeuten // daß / Protestanten / stehlen / Kind (*1st clause past, 2nd clause infinitival, 3rd clause subj. II past*)
3. Anna / erfahren // daß / Friede / geschlossen (*passive*) / zwischen Katholiken und Protestanten (*1st clause past, 2nd clause past perf.*)
4. Glücksumstand / kommen / Magd / — / Hilfe (*past and perf.*)
5. Rechtssache / verwiesen (*passive*) / an / Richter // — / sein / ganz / besonder- / Mann (*past*)
6. Dollinger / sein / wegen / Grobheit / und / Gelehrsamkeit / ganz Schwaben / berühmt (*past*)
7. Kurz / fleischig / alt / Mann / sitzen / winzig / kahl / Stube // und / anhören / Anna / nur kurz (*past*)
8. Er / dirigieren / Anna / an / Stelle / Raum // wo / Licht / fallen / durch / schmal / Fenster (*past*)
9. Er / ansehen / Annas / Gesicht // und / dann / er / wegwinken / sie / mit / Seufzer (*past and perf.*)

P.

1. — / nächst- / Tag / er / lassen / sie / holen / durch / Gerichtsdiener (*past and perf.*)
2. Richter / schreien // daß / es / gehen / um / Gerberei // aber / Anna / sagen // daß / es / gehen / ihr / um / Kind (*1st and 3rd clauses past, 2nd and 4th clauses subj. I pres.*)
3. „Sich einbilden (*imperative*) / nicht // daß / du / können / schnappen / Gerberei!" (*pres.*)
4. Dollinger / nennen / Frau Zingli / Ziege / mit / fünf / Seidenröcken (*pres.*)
5. Hauptstraße / und / Platz / vor / Rathaus / sein / schwarz / — / Menschen // — / wollen / beiwohnen / Prozeß (*past*)
6. Es / gestritten (*passive*) / dar- // wer / sein / echt / und / wer / falsch / Mutter (*past*)

7. Dollinger / sein / wegen / volkstümlich / Prozesse / berühmt / (*past*)
8. Viel / Bauersleute / übernachten / Erwartung / Prozeß / Stadt (*past perf.*)

Q.

1. Golden / Saal / sein / berühmt / als / einzig / Saal / dies- / Größe // — / haben / kein / Säule (*past*)
2. Richter / sitzen / vor / geschlossen / Erztor / ; // gewöhnlich / Seil / abtrennen / Zuhörer (*past*)
3. Richter / sitzen / eben / Boden // und / haben / kein / Tisch / vor / — (*past*)
4. Innerhalb / abgeseilt / Raum / sein / Frau Zingli / Schweizer / Verwandte / und / Anna (*past*)
5. Dollinger / pflegen / sagen // daß / Verhandlungen / sein / kürzer // wenn / Parteien / und / Zeugen / müssen / stehen (*past*)
6. Vielleicht / er / lassen / sie / stehen // damit / sie / verdecken / ihn / vor / Publikum (*past*)
7. Als / Anna / erblicken / Kind // sie / ausstoßen / Schrei (*past*)
8. Als / Kind / anfangen / brüllen // Richter / lassen / es / bringen / aus / Saal (*past and perf.*)

R.

1. Frau Zingli / schildern // wie / kaiserlich / Soldaten / entreißen / ihr / Kind (*1st clause past, 2nd clause subj. II past*)
2. Frau Zingli / annehmen // daß / Anna / nehmen / Kind // um / Geld / erpressen (*past, 2nd clause past perf.*)
3. Sie / hervorkommen / mit / solch / Forderungen // wenn / man / abnehmen / ihr / das Kind / nicht (*subj. II past*)
4. Richter / fragen / Verwandte // was / Frau Zingli / erzählen / ihnen (*1st clause past, 2nd clause subj. I past*)
5. Frau Zingli / lassen / Verwandte / wissen // daß / Mann / erschlagen (*passive*) (*1st clause past, 2nd clause past perf.*)
6. Es / sein / kein / Wunder // daß / Verwandte / sprechen / unfreundlich / Frau Zingli (*past*)
7. Richter / wollen / wissen // ob / Frau Zingli / lassen / Kind / Stich (*1st clause past, 2nd clause subj. I past*)

S.

1. Anna / vortreten / schnell // und / wiederholen / mit / leise / Stimme // was / sie / sagen / bei / Voruntersuchung (*past, final clause past perf.*)

2. Anna / reden // als ob / sie / horchen / zugleich (*1st clause past, 2nd clause subj. II pres.*)
3. Sie / blicken / nach / groß / Tor // hinter / — / man / bringen / Kind (*1st clause past, 2nd clause past perf.*)
4. Anna / sagen // daß / sie / nicht / zurückkehren / in / Gerberei // weil / sie / haben / Sorgen / eigen / ledig / Kind (*1st clause past, 2nd and 3rd clauses subj. I past*)
5. Dollinger / unterbrechen / sie / grob // und / schnappen // daß / mindestens / ein / Person / verspüren / etwas wie Furcht (*1st and 2nd clauses past, final clause subj. I past*)
6. Es / beweisen // daß / mindestens / ein / Person / besitzen / damals / einige Vernunft (*1st clause pres., 2nd clause past*)
7. Er / halten / ein / sein- / weise / und / derb / Lektionen / über / Menschen // — / anschwindeln / Gericht (*past*)

T.

1. Dollinger / verkündigen // daß / Zeugenaussage / sein / geschlossen (*1st clause past, 2nd clause subj. I pres.*)
2. Zeugenaussage / ergeben / nichts (*past and past perf.*)
3. Es / nicht / festgestellt (*passive*) // wer / sein / recht / Mutter (*1st clause perf., 2nd clause pres.*)
4. Väter / sich drücken / oft // und / wollen / nicht / sein / Väter // , / Schufte (*pres.*)
5. Mit / ärgerlich / Stimme / er / rufen / Gerichtsdiener // und / befehlen / Mann // Kreide / holen (*past, final clause infinitival constr.*)
6. Richter / lassen / ziehen / Kreidekreis // in / — / drei / Personen / können / stehen (*pres. and past*)
7. Kind / hereingebracht (*passive*) // und / es / anfangen / heulen / wieder (*past*)
8. Grundgedanke / Probe / sein // daß / echt / Mutter / erkannt (*passive*) / an / Liebe / zu / Kind (*pres.*)

U.

1. Gerichtsdiener / nehmen / Kind / von / Hand / Amme // und / führen / es / in / Kreis (*past and perf.*)
2. Jed- / Frau / sollen / fassen / Hand / Kind // und / versuchen // Kind / aus / Kreis / ziehen (*past*)
3. Wer / lieben / stärker // ziehen / mit / größer / Kraft (*pres.*)
4. Es / werden / wieder / totenstill // als / Frauen / treten / in / Kreis (*past*)
5. Mit / einzig / heftig / Ruck / Frau Zingli / reißen / Kind / Kreis (*past and perf.*)

6. Kind / können / erleiden / Schaden // wenn / es / gezogen (*passive*) / in zwei Richtungen (*subj. II pres. and past*)
7. Anna / loslassen / Kind / — / Furcht (*past and perf.*)
8. Dollinger / lassen / wegnehmen / Frau Zingli / Kind // weil / sie / reißen / es / in / Stücke (*1st clause past, 2nd clause subj. II past*)
9. Bauern / erzählen // daß / Richter / zwinkern // als / er / zusprechen / Anna / Kind (*1st clause pres., 2nd and 3rd clauses past*)

Express in German

A.

1. At the time of the Thirty Years' War a Swiss Protestant named Zingli owned a large tannery in the city of Augsburg.
2. He was married to an Augsburg woman.
3. When the Catholics marched on the city, his friends advised him to flee.
4. Perhaps he didn't want to leave his tannery in the lurch.
5. In any case, he couldn't make up his mind to leave.
6. He was still in the city when the imperial troops stormed it.
7. While the town was being plundered Zingli hid in the pit where the dyes were stored.

B.

1. Frau Zingli was supposed to go to her relatives in the suburbs, but she delayed too long in packing her things.
2. She saw a band of imperial soldiers entering the courtyard.
3. Beside herself with terror, she left everything and ran away.
4. The child lay in a cradle in the hallway and played with a wooden ball.
5. The maid rushed to the window and saw *everything being thrown* onto the street.

C.

1. She wanted to take the child out of the cradle when she heard the sound of heavy blows on the door of the house.
2. She was seized by panic and flew up the stairs.
3. The soldiers knew that they were in the house of a Protestant.
4. It was a miracle that Anna remained undiscovered during the search.
5. The maid climbed out of the closet, took the child, and sneaked away.

6. It had grown dark, but the light (der **Schein**) of a burning house illuminated the courtyard.
7. The soldiers had pulled Zingli out of the pit and had killed him.

D.

1. It became clear to the maid what risk she was running.
2. With heavy heart she put the child back in the cradle and set out for her sister's.
3. Anna pushed her way through the turmoil to look for Frau Zingli.
4. The uncle stuck his head out, and Anna reported that the child was unharmed.
5. The uncle said that he had nothing to do with the Protestant bastard.
6. Frau Zingli wasn't ashamed to disclaim her child.

E.

1. Anna told her brother-in-law that she wanted to go back and get the child.
2. He tried to talk her out of this dangerous idea.
3. Anna listened to him and promised not to do anything unreasonable.
4. She returned to the house alone and found the child in its cradle.
5. Anna didn't dare light a lamp, but she could see the child quite well.
6. She had sat there too long and had seen too much to leave without the child.
7. She got up and left the courtyard like a person with a bad conscience.

F.

1. She took the child to the village where her brother was a farmer.
2. It had been agreed that Anna should tell only her brother who the child was.
3. When Anna arrived there, her brother and his wife were sitting at lunch.
4. Only after Anna had said that she had a husband did her sister-in-law thaw out.
5. When Anna told her brother the truth, she could see that *he was uneasy*.
6. In the long run it wasn't easy to keep up the deception.

G.

1. Anna *helped out* with the harvest and took care of the child when the others were resting.

2. Winter came and the sister-in-law began to inquire about Anna's husband.
3. Anna was able to make herself useful on the farm.
4. The neighbors wondered about Anna's husband because he never came.
5. If she couldn't show a father for the child, the farm would be talked about.

H.

1. The farmer told Anna that he had found a husband for her.
2. He was a deathly ill cottager who could scarcely lift his head.
3. He was willing to marry Anna.
4. The wedding took place at the end of the week.
5. Her brother didn't doubt that they would have the death certificate in a few days.
6. Nobody would be surprised if the widow lived at her brother's house.
7. Anna returned from the wedding happy, because now the child had a name.
8. She stood with her brother in front of the box in which the child lay.

I.

1. After three weeks had passed, Anna's brother went to the village near Augsburg.
2. Anna was still up and she ran to the door when she heard the wagon coming.
3. He brought the bad news that the cottager had got completely well.
4. Stepping into the hut, he had found the "doomed man" sitting at his supper.
5. The cottager and his mother were likewise surprised and they hadn't come to any decision.
6. Otterer didn't make an unpleasant impression.
7. His mother *whined about Otterer's having* an unwanted wife and a strange child on his neck.

J.

1. During lulls in (**zwischen**) her housework Anna taught the child to walk.
2. Whenever the boy came toward her, Anna suppressed a sob and clutched him tightly.
3. Anna had only seen Otterer on his deathbed by the light of a candle.

4. Anna learned that her husband was a worn-out fifty-year-old.
5. Anna and Otterer met between their villages like two commanders between their battle lines.
6. He looked Anna *up and down* and used the words "sacrament of marriage."
7. Anna told the cottager that she would have to think about it.
8. Otterer was supposed *to let it be known* (**wissen *lassen**) that he was coming soon and that he had fallen ill on the way.

K.

1. The message didn't come and Anna toyed with the idea *of leaving* the farm and looking for a position.
2. Only the uncertainty of the highways and (the fact) that it was mid-winter held her back.
3. Her stay at the farm became difficult because her sister-in-law asked mistrustful questions about her husband.
4. Anna decided to go, but the child got sick.
5. Anna watched over the child (for) whole nights.
6. One morning, when the child was on the way to recovery, there was a knock at the door and in walked Otterer.
7. There was nobody in the room but the child so Anna didn't have to put up a front.
8. In a firm voice Anna told her husband that she wouldn't *think of living* with him.
9. She had entered into this marriage only for the child's sake.
10. Otterer glanced toward the box but didn't step over to it.

L.

1. He answered the sister-in-law's questions in monosyllables.
2. In the afternoon he avoided the farmer's company and chopped wood.
3. He stood up and murmured that he had to go back the same evening.
4. Before he left, he stared into the box, but he didn't touch the child.
5. That night, Anna fell into a fever that lasted for weeks.
6. When the fever abated, she crept to the box and straightened the blanket.
7. In the fourth week of Anna's illness Otterer fetched her and the child.
8. One morning, when Anna saw how dirty the child was, she got up.
9. The child had grown and it was crawling around in the room.

M.

1. A few days later Anna could no longer put up with life in the hut.
2. She wrapped the child in a couple of blankets and ran away.
3. She planned to go to Sonnthofen, but she didn't get (***kommen**) far.
4. The people in the villages had become suspicious and stingy.
5. She sprained her ankle and was taken to a farm.
6. Anna finally had to say her name and Otterer came for her.

N.

1. Anna made no further attempt to escape and accepted her fate.
2. In time Anna grew content and experienced great joy in raising the child.
3. When Anna came back from the village one day, the child was not in the hut.
4. Otterer told Anna that an elegantly dressed woman had driven up and had taken the child away.
5. That same evening Anna set out for Augsburg, carrying only a bundle.

O.

1. Anna went to the tannery but was not admitted.
2. She went so far as to suggest that Protestants had stolen her child.
3. Anna learned that peace had been made between the Catholics and the Protestants.
4. A fortunate circumstance came to her aid.
5. Her case was referred to a judge who was quite a "special" man.
6. Dollinger was famed for his coarseness and for his learnedness.
7. The short, fleshy old man sat in a tiny, bare room.
8. He directed Anna to a spot where the light fell through a narrow window.
9. He looked at Anna's face and then he motioned her away.

P.

1. The next day he had her fetched by a bailiff.
2. The judge hollered that the tannery was at stake.
   Anna said that for her only the child was at stake.
3. Don't imagine (**sich ein•bilden**) that you can latch onto the tannery.
4. Dollinger called Frau Zingli a "she-goat with five silk skirts."
5. The main street and the square in front of the town hall were black with people who wanted to be there for (**bei•wohnen**) the trial.

6. *There was much arguing* as to who was the real mother and who the false one. (*Use a passive construction.*)
7. Dollinger was known for his folksy trials.
8. A lot of farmers had spent the night in town in anticipation of the trial.

Q.

1. The Golden Hall was famous as the only room of this size that didn't have any columns.
2. The judge sat in front of a bronze gate; the audience stood behind an ordinary rope.
3. Inside the roped-off area stood Frau Zingli, the Swiss relatives, and Anna.
4. Dollinger used to say that the trials were shorter when the two parties and the witnesses had to stand.
5. Perhaps he made them stand so that they hid him from the public.
6. When Anna caught sight of the child she let out a cry.
7. When the child started to howl, Dollinger had it taken from the room.

R.

1. Frau Zingli described how the imperial troops had torn the child away from her.
2. Frau Zingli assumed that Anna had taken the child in order to extort money.
3. She would have come forward with such demands if one hadn't taken the child from her.
4. The judge asked Frau Zingli's relatives what she had told them.
5. Frau Zingli had told the relatives that her husband had been killed.
6. It was no surprise that the relatives spoke in an unfriendly way of Frau Zingli.
7. The judge wanted to know whether Frau Zingli had left the child in the lurch.

S.

1. Anna stepped forward quickly and repeated in a soft voice what she had said at the preliminary examination.
2. She spoke as if she were listening at the same time.
3. She said that she had not returned to the tannery because she *was worried* about her own child.
4. Dollinger interrupted her rudely and snapped that at least one person had felt something akin to fear.
5. It proves that at least one person possessed some reason.

T.

1. Dollinger announced that the testimony was closed.
2. The testimony had produced nothing.
3. It hasn't been established who the real mother is.
4. Fathers often make themselves scarce and claim not to be the fathers at all, the cads!
5. In an irritated voice he called the bailiff and ordered him to bring (a piece of) chalk.
6. The judge had him draw a chalk circle in which three people could stand.
7. The child was brought in and it began to howl again.
8. The basic idea of the test is that the real mother is recognized by her love for the child.

U.

1. The bailiff took the crying child from the nurse's hand and led it into the circle.
2. Each woman *was to* grasp a hand and try to pull the child out of the circle.
3. Whoever loves more strongly will pull with more force.
4. It grew still as death when the two women stepped into the circle.
5. With a single violent jerk Frau Zingli yanked the child out of the circle.
6. The child could have suffered harm if it had been pulled in two directions.
7. Anna had let loose from fear.
8. Dollinger had the child taken away from Frau Zingli because she would have torn it to pieces.
9. The farmers say that Dollinger winked as he awarded the child to Anna.

Cue-sheet

Use the following cues to relate the story.

A.

Zingli
Augsburgerin
die Katholischen // Freunde
Zingli nicht entschließen
verstecken

B.

Frau Zingli / Verwandte // aber
Soldaten / Hof
Frau Zingli / außer sich / weg
Kind / Wiege / Holzball
nur Magd
Fenster / Beutestücke

C.

Anna / Kind / Wiege
schwere Schläge
Panik / Treppe
unentdeckt
nach der Plünderung
Zingli / Leiche

D.

klar / Gefahr
Kind / zurücklegen
Frau Zingli / aufsuchen
Frau Zinglis Onkel
Onkel sagte:

E.

Anna / wollen / zurückgehen
versprechen / Schwager
zurückgehen / allein
zu lange / sitzen
Diebin

F.

aufs Land / Bruder
nur Bruder sagen
Schwägerin / auftauen
schwer // Täuschung

G.

Winter / Schwägerin / Mann
Nachbarn
Gerede

H.

Mann für Anna
Häusler / willig
Hochzeit
nicht zweifeln / Totenschein
Anna / froh

I.

Totenschein / aber
drei Wochen / Bruder
Nachricht
„Totgeweihter"
Otterer / ebenfalls / kein Entschluß
Mutter / jammern

J.

Anna / erfahren / Fünfziger
zwei Feldherren
Otterer / . . . oben . . . unten
Anna: müssen überlegen
Otterer / sollen wissen lassen // bald kommen

K.

Anna / Gedanke / weggehen
Unsicherheit / Straßen
Anna / gehen // aber / Kind / krank
Kind / Besserung // klopfen // und Otterer / herein
Anna / feste Stimme: denken nicht
nur wegen Kind

L.

Mittagessen / Otterer / einsilbig: Stellung
Nachmittag / Holz
Otterer / zurück
Kind / nicht anrühren
Anna / Fieber // wochenlang
vierte Woche

M.

Leben / nicht aushalten
Kind wickeln / weglaufen
nach Sonnthofen // aber . . .
Fuß / Hof gebracht
Namen / sagen // Otterer

N.

kein Fluchtversuch
zufrieden // und / Freude / Erziehung
zurückkehren // Kind / nicht da
Otterer: Frau / Kutsche
Anna / Augsburg

O.

Anna / Gerberei // aber . . .
Anna: Protestanten / Kind

aber / Friede
Rechtssache / Dollinger // berühmt
Dollinger / dirigieren / Licht
Dollinger / ansehen / wegwinken

P.

Dollinger / Anna / holen
Dollinger: Gerberei!
Anna / Kind!
Dollinger: Samstag / Gericht
Samstag / Hauptstraße / Menschen // Prozeß
Dollinger / berühmt / Prozesse

Q.

der Goldene Saal / berühmt
Dollinger / Erztor // Zuhörer / Seil
Verhandlungen / kürzer // wenn
Anna / Schrei // Kind / brüllen
aus Saal

R.

Frau Zingli / schildern // Soldaten
Magd / erpressen
Dollinger: Kind / Stich

S.

Anna / aufgerufen
wiederholen
reden // horchen
Anna: Angst / nicht / Gerberei
Dollinger: eine Person / Furcht

T.

Zeugenaussage / nichts
nicht festgestellt
Väter // aber zwei Mütter
Gerichtsdiener / Kreide // Kreis // drei
Grundgedanke / Probe

U.

Frauen / Kind / Kreis
jede Frau / Hand
„Los!"
Ruck / Frau Zingli
Anna / loslassen
Dollinger / wegnehmen // weil . . .
Bauern / erzählen // Dollinger

merkwürdig remarkable der **Abschnitt, -e** period
der **Angestellte, -n** (*adj. noun*) employee
***zu•bringen** to spend (time)
das **Nachdenken** reflection, contemplation
zugeneigt disposed to, inclined to
anhaltend persisting, continuous

sich an•vertrauen + *dat.* to entrust oneself to, put oneself in the hands of
die **Arbeitsvermittlung, -en** employment agency
der **Leidensgenosse -n** comrade in suffering
die **Eignungsprüfung, -en** aptitude test
unterzogen werden to be subjected to

Es wird etwas geschehen

Eine handlungsstarke Geschichte

Heinrich Böll

Zu den merkwürdigsten Abschnitten meines Lebens gehört wohl der, den ich als Angestellter in Alfred Wunsiedels Fabrik zubrachte. Von Natur bin ich mehr dem Nachdenken und dem Nichtstun zugeneigt als der Arbeit, doch hin und wieder zwingen mich anhaltende finanzielle Schwierigkeiten — denn Nachdenken bringt so wenig ein wie Nichtstun — eine sogenannte Stelle anzunehmen. Wieder einmal auf einem solchen Tiefpunkt angekommen, vertraute ich mich der Arbeitsvermittlung an und wurde mit sieben anderen Leidensgenossen in Wunsiedels Fabrik geschickt, wo wir einer Eignungsprüfung unterzogen werden sollten.

der **Ziegel, —** brick, tile
die **Abneigung, -en** antipathy, disliking

die **Karaffe, -n** carafe
blasiert dull, blasé

platzen (s) to burst
die **Willensanstrengung, -en** effort of will
trällern to sing "tra-la-la"
ahnen to sense, suspect

kauen to chew **hingebungsvoll** devotedly, enthusiastically

zuführen to supply, convey

nüchtern sober; *here:* empty

handlungsschwanger *lit.:* pregnant with action

der **Fragebogen, —** questionnaire
getönt toned, colored
der **Einrichtungsfanatiker, —** interior decorating "nut"
entzückend charming, "divine" **zaubern** to conjure

auf•schrauben to unscrew

der **Choleriker, —** a choleric; *here:* a violent person

ernten to harvest

Schon der Anblick der Fabrik machte mich mißtrauisch; die Fabrik war ganz aus Glasziegeln gebaut, und meine Abneigung gegen helle Gebäude und helle Räume ist so stark, wie meine Abneigung gegen die Arbeit. Noch mißtrauischer wurde ich, als uns in der hellen fröhlich ausgemalten Kantine gleich ein Frühstück serviert wurde: hübsche Kellnerinnen brachten uns Eier, Kaffee und Toaste, in geschmackvollen Karaffen stand Orangensaft; Goldfische drückten ihre blasierten Gesichter gegen die Wände hellgrüner Aquarien. Die Kellnerinnen waren so fröhlich, daß sie vor Fröhlichkeit fast zu platzen schienen. Nur starke Willensanstrengung — so schien mir — hielt sie davon zurück, dauernd zu trällern. Sie waren mit ungesungenen Liedern so angefüllt wie Hühner mit ungelegten Eiern. Ich ahnte gleich, was meine Leidensgenossen nicht zu ahnen schienen: daß auch dieses Frühstück zur Prüfung gehöre; und so kaute ich hingebungsvoll, mit dem vollen Bewußtsein eines Menschen, der genau weiß, daß er seinem Körper wertvolle Stoffe zuführt. Ich tat etwas, wozu mich normalerweise keine Macht dieser Welt bringen würde: ich trank auf den nüchternen Magen Orangensaft, ließ den Kaffee und ein Ei stehen, den größten Teil des Toasts liegen, stand auf und marschierte handlungsschwanger in der Kantine auf und ab.

So wurde ich als erster in den Prüfungsraum geführt, wo auf reizenden Tischen die Fragebogen bereitlagen. Die Wände waren in einem Grün getönt, das Einrichtungsfanatikern das Wort „entzückend“ auf die Lippen gezaubert hätte. Niemand war zu sehen, und doch war ich so sicher, beobachtet zu werden, daß ich mich benahm, wie ein Handlungsschwangerer sich benimmt, wenn er sich unbeobachtet glaubt: ungeduldig riß ich meinen Füllfederhalter aus der Tasche, schraubte ihn auf, setzte mich an den nächstbesten Tisch und zog den Fragebogen an mich heran, wie Choleriker Wirtshausrechnungen zu sich hinziehen.

Erste Frage: Halten Sie es für richtig, daß der Mensch nur zwei Arme, zwei Beine, Augen und Ohren hat?

Hier erntete ich zum ersten Male die Früchte meiner Nachder **Tatendrang** hunger for activity

die **Ausstattung, -en** outfit, equipment
kümmerlich miserable, inadequate

eine Gleichung ersten Grades an equation of the first degree, a simple equation

vollkommen ausgelastet utilized to the fullest

nach Feierabend after work

***streichen** to strike, omit

die **Muschel, -n** mouthpiece; *lit.:* shell
der **Hörer, —** (telephone) receiver

gemäß + *dat.* in keeping with
sich bedienen + *gen.* to make use of, employ

umgeben surrounded

es wimmelt von it's crawling with

handlungsstark strong on action

sie erbrechen (den Lebenslauf) in Ehren they really spill it out, open up with it

der **Stellvertreter, —** deputy, representative

seinerseits for his part

der **Ruhm** fame, reputation

***erwerben** to acquire

gelähmt crippled

der **Handelsvertreter, —** sales representative

eine Handelsvertretung ausüben *lit.:* to carry out the duties of a sales representative

mit Auszeichnung with honors

die **Sünde, -n** sin

denklichkeit und schrieb ohne Zögern hin: „Selbst vier Arme, Beine, Ohren würden meinem Tatendrang nicht genügen. Die Ausstattung des Menschen ist kümmerlich."

Zweite Frage: Wieviel Telefone können Sie gleichzeitig bedienen? 5

Auch hier war die Antwort so leicht wie die Lösung einer Gleichung ersten Grades. „Wenn es nur sieben Telefone sind", schrieb ich, „werde ich ungeduldig, erst bei neun fühle ich mich vollkommen ausgelastet."

Dritte Frage: Was machen Sie nach Feierabend? 10

Meine Antwort: „Ich kenne das Wort ‚Feierabend' nicht mehr — an meinem fünfzehnten Geburtstag strich ich es aus meinem Vokabular, denn am Anfang war die Tat."

Ich bekam die Stelle. Tatsächlich fühlte ich mich sogar mit den neun Telefonen nicht ganz ausgelastet. Ich rief in die 15 Muscheln der Hörer: „Handeln Sie sofort!" oder: „Tun Sie etwas! — Es muß etwas geschehen — Es wird etwas geschehen — Es ist etwas geschehen — Es sollte etwas geschehen." Doch meistens — denn das schien mir der Atmosphäre gemäß — bediente ich mich des Imperativs. 20

Interessant waren die Mittagspausen, wo wir in der Kantine, von lautloser Fröhlichkeit umgeben, vitaminreiche Speisen aßen. Es wimmelte in Wunsiedels Fabrik von Leuten, die verrückt darauf waren, ihren Lebenslauf zu erzählen, wie eben handlungsstarke Persönlichkeiten es gern tun. Ihr Lebenslauf ist 25 ihnen wichtiger als ihr Leben, man braucht nur auf einen Knopf zu drücken, und schon erbrechen sie ihn in Ehren.

Wunsiedels Stellvertreter war ein Mann mit Namen Broschek, der seinerseits einen gewissen Ruhm erworben hatte, weil er als Student sieben Kinder und eine gelähmte Frau durch Nachtarbeit 30 ernährt, zugleich vier Handelsvertretungen erfolgreich ausgeübt und dennoch innerhalb von zwei Jahren zwei Staatsprüfungen mit Auszeichnung bestanden hatte. Als ihn Reporter gefragt hatten: „Wann schlafen Sie denn, Broschek?", hatte er geantwortet: „Schlafen ist Sünde!" 35

Wunsiedels Sekretärin hatte einen gelähmten Mann und vier

das **Stricken** knitting
die **Heimatkunde** *general study of the history, customs, and culture of one's native land* **promovieren in** to take a Ph.D. in
Schäferhunde züchten to breed German shepherds

handeln to act
der **Gürtel, —** belt
zu•schnüren to tie

ab•spülen to rinse off
die **Verrichtung, -en** act, function
aus•lösen to elicit, inspire, result in die **Befriedigung** satisfaction
rauschen to gurgle, rush **verbraucht** used, consumed

belanglos inconsequential, pointless die **Tätigkeit, -en** activity
die **Handlung, -en** action, act **bebend vor** aquiver with

die **Tat, -en** act, deed
***betreten** to walk into (or onto)
frohen Mutes in good spirits

strahlend beaming

***erfinden** to invent
Tempus (*pl.* Tempora) tense (*grammar*)
Genus (*pl.* Genera) mood (*grammar*)
hetzen durch to chase through, run through

tatsächlich actually

Kinder durch Stricken ernährt, hatte gleichzeitig in Psychologie und Heimatkunde promoviert, Schäferhunde gezüchtet und war als Barsängerin unter dem Namen Vamp 7 berühmt geworden.

Wunsiedel selbst war einer von den Leuten, die morgens, kaum erwacht, schon entschlossen sind, zu handeln. „Ich muß handeln", denken sie, während sie energisch den Gürtel des Bademantels zuschnüren. „Ich muß handeln", denken sie, während sie sich rasieren, und sie blicken triumphierend auf die Barthaare, die sie mit dem Seifenschaum von ihrem Rasierapparat abspülen: Diese Reste der Behaarung sind die ersten Opfer ihres Tatendranges. Auch die intimeren Verrichtungen lösen Befriedigung bei diesen Leuten aus: Wasser rauscht, Papier wird verbraucht. Es ist etwas geschehen. Brot wird gegessen, dem Ei wird der Kopf abgeschlagen.

Die belangloseste Tätigkeit sah bei Wunsiedel wie eine Handlung aus: wie er den Hut aufsetzte, wie er — bebend vor Energie — den Mantel zuknöpfte, der Kuß, den er seiner Frau gab, alles war Tat.

Wenn er sein Büro betrat, rief er seiner Sekretärin als Gruß zu: „Es muß etwas geschehen!" Und diese rief frohen Mutes: „Es wird etwas geschehen!" Wunsiedel ging dann von Abteilung zu Abteilung, rief sein fröhliches: „Es muß etwas geschehen!" Alle antworteten: „Es wird etwas geschehen!" Und auch ich rief ihm, wenn er mein Zimmer betrat, strahlend zu: „Es wird etwas geschehen!"

Innerhalb der ersten Woche steigerte ich die Zahl der bedienten Telefone auf elf, innerhalb der zweiten Woche auf dreizehn, und es machte mir Spaß, morgens in der Straßenbahn neue Imperative zu erfinden oder das Verbum „geschehen" durch die verschiedenen Tempora, durch die verschiedenen Genera, durch Konjunktiv und Indikativ zu hetzen; zwei Tage lang sagte ich nur den einen Satz, weil ich ihn so schön fand: „Es hätte etwas geschehen müssen", zwei weitere Tage lang einen anderen: „Das hätte nicht geschehen dürfen."

So fing ich an, mich tatsächlich ausgelastet zu fühlen, als wirklich etwas geschah. An einem Dienstagmorgen — ich hatte

sich zurecht•setzen to get oneself settled, put one's thoughts in order

vorgeschrieben prescribed (*regulation*)

widerstrebend reluctant(ly)

quer vor right in front of, squarely across

kopfschüttelnd shaking one's head
der **Flur, -e** corridor

der **Kugelschreiber, —;** der **Kugelstift, -e** ballpoint pen
der **Block, ⸚e** *here:* pad (of paper)
die **Strickmaschine, -n** knitting machine
*__bei•tragen zu__ to contribute to
vervollständigen to supplement, complete
schlüpfen (s) to slip
lösen von to disengage from die **Zehe, -n** toe

die **Leiche, -n** corpse

mich noch gar nicht richtig zurechtgesetzt — stürzte Wunsiedel in mein Zimmer und rief sein „Es muß etwas geschehen!" Doch etwas Unerklärliches auf seinem Gesicht ließ mich zögern, fröhlich und munter, wie es vorgeschrieben war, zu antworten: „Es wird etwas geschehen!" Ich zögerte wohl zu lange, denn Wunsiedel, der sonst selten schrie, brüllte mich an: „Antworten Sie! Antworten Sie, wie es vorgeschrieben ist!" Und ich antwortete leise und widerstrebend wie ein Kind, das man zu sagen zwingt: ich bin ein böses Kind. Nur mit großer Anstrengung brachte ich den Satz heraus: „Es wird etwas geschehen", und kaum hatte ich ihn ausgesprochen, da geschah tatsächlich etwas: Wunsiedel stürzte zu Boden, rollte im Stürzen auf die Seite und lag quer vor der offenen Tür. Ich wußte gleich, was sich mir bestätigte, als ich langsam um meinen Tisch herum auf den Liegenden zuging: daß er tot war.

Kopfschüttelnd stieg ich über Wunsiedel hinweg, ging langsam durch den Flur zu Broscheks Zimmer und trat dort ohne anzuklopfen ein. Broschek saß an seinem Schreibtisch, hatte in jeder Hand einen Telefonhörer, im Mund einen Kugelschreiber, mit dem er Notizen auf einen Block schrieb, während er mit den bloßen Füßen eine Strickmaschine bediente, die unter dem Schreibtisch stand. Auf diese Weise trägt er dazu bei, die Bekleidung seiner Familie zu vervollständigen. „Es ist etwas geschehen", sagte ich leise. Broschek spuckte den Kugelstift aus, legte die beiden Hörer hin, löste zögernd seine Zehen von der Strickmaschine.

„Was ist denn geschehen?" fragte er.

„Herr Wunsiedel ist tot", sagte ich.

„Nein", sagte Broschek.

„Doch", sagte ich, „kommen Sie!"

„Nein", sagte Broschek, „das ist unmöglich", aber er schlüpfte in seine Pantoffeln und folgte mir über den Flur.

„Nein", sagte er, als wir an Wunsiedels Leiche standen, „nein, nein!" Ich widersprach ihm nicht. Vorsichtig drehte ich Wunsiedel auf den Rücken, drückte ihm die Augen zu und betrachtete ihn nachdenklich.

***empfinden** to feel die **Zärtlichkeit** tenderness

hartnäckig stubbornly
der **Weihnachtsmann** Santa Claus

überzeugend klingen to sound convincing

beerdigen to bury

ausersehen selected der **Kranz, ⸚e** wreath **künstlich** artificial
der **Sarg, ⸚e** coffin **der Hang zu** predisposition to

aus•statten to equip

sich eignen für to be suited to **vorzüglich** especially

das **Angebot, -e** offer

berufsmäßig professional der **Trauernde, -n** (*adj. noun*) mourner

***ein•treten** (s) *here:* to take a position

die **Garderobe** dress, outfit **stellen** *here:* to provide (*by the firm*)

kündigen to give notice (of quitting a job)
die **Begründung, -en** reason

***brach•liegen** to lie fallow (unused)

der **Trauergang, ⸚e** funeral procession

schlicht simple der **Blumenstrauß, ⸚e** bouquet

das **Stammlokal, -e** one's regular restaurant

der **Auftritt, -e** appearance, performance

beordnen zu to summon to

sich gesellen zu to join **Wohlfahrt** welfare

verdanken to owe to, be indebted to (*not referring to money*)

Ich empfand fast Zärtlichkeit für ihn, und zum ersten Male wurde mir klar, daß ich ihn nie gehaßt hatte. Auf seinem Gesicht war etwas, wie es auf den Gesichtern der Kinder ist, die sich hartnäckig weigern, ihren Glauben an den Weihnachtsmann aufzugeben, obwohl die Argumente der Spielkameraden so überzeugend klingen.

„Nein", sagte Broschek, „nein."

„Es muß etwas geschehen", sagte ich leise zu Broschek.

„Ja", sagte Broschek, „es muß etwas geschehen."

Es geschah etwas: Wunsiedel wurde beerdigt und ich wurde ausersehen, einen Kranz künstlicher Rosen hinter seinem Sarg herzutragen, denn ich bin nicht nur mit einem Hang zur Nachdenklichkeit und zum Nichtstun ausgestattet, sondern auch mit einer Gestalt und einem Gesicht, die sich vorzüglich für schwarze Anzüge eignen. Offenbar habe ich — mit dem Kranz künstlicher Rosen in der Hand hinter Wunsiedels Sarg hergehend — großartig ausgesehen. Ich erhielt das Angebot eines eleganten Beerdigungsinstitutes, dort als berufsmäßiger Trauernder einzutreten. „Sie sind der geborene Trauernde", sagte der Leiter des Instituts, „die Garderobe bekommen Sie gestellt. Ihr Gesicht — einfach großartig!"

Ich kündigte Broschek mit der Begründung, daß ich mich dort nicht richtig ausgelastet fühle, daß Teile meiner Fähigkeiten trotz der dreizehn Telefone brachlägen. Gleich nach meinem ersten berufsmäßigen Trauergang wußte ich: Hierhin gehörst du, das ist der Platz, der für dich bestimmt ist.

Nachdenklich stehe ich hinter dem Sarg in der Trauerkapelle, mit einem schlichten Blumenstrauß in der Hand, während Händels *Largo* gespielt wird, ein Musikstück, das viel zu wenig geachtet ist. Das Friedhofscafé ist mein Stammlokal, dort verbringe ich die Zeit zwischen meinen beruflichen Auftritten, doch manchmal gehe ich auch hinter Särgen her, zu denen ich nicht beordert bin, kaufe aus meiner Tasche einen Blumenstrauß und geselle mich zu dem Wohlfahrtsbeamten, der hinter dem Sarg eines Heimatlosen hergeht. Hin und wieder auch besuche ich Wunsiedels Grab, denn schließlich verdanke ich es ihm, daß ich die **Pflicht, -en** duty

meinen eigentlichen Beruf entdeckte, einen Beruf, bei dem Nachdenklichkeit geradezu erwünscht und Nichtstun meine Pflicht ist.

Spät erst fiel mir ein, daß ich mich nie für den Artikel interessiert habe, der in Wunsiedels Fabrik hergestellt wurde. Es wird wohl Seife gewesen sein. 5

Cue-sheet

Use the following cues to relate the story.

A.
Erzähler / Nachdenken / Nichtstun
Schwierigkeiten / Stelle
Tiefpunkt / Arbeitsvermittlung
Wunsiedels Fabrik / Prüfung machen

B.
Fabrik / aus Glasziegeln
Abneigung / hell / Gebäude / Arbeit
mißtrauisch / Kantine / Frühstück
Kellnerinnen / fröhlich / platzen
zurückhalten / trällern

C.
ahnen / Frühstück / Prüfung
daher / Orangensaft / Kaffee / marschieren

D.
Prüfungsraum / Fragebogen
Niemand // doch sicher // beobachtet
Handlungsschwangerer / benehmen
Füllfederhalter / Fragebogen

E.
erste Frage // zwei Arme
selbst vier Arme
zweite Frage // Telefone
bei sieben // erst bei neun
dritte Frage // nach Feierabend?
Feierabend / Vokabular / streichen

F.

neun Telefone / nicht ganz
rufen: / „muß“ / „wird“ / „ist“ / „sollte“
meistens / Imperativ

G.

wimmeln / Lebenslauf
Broschek / Ruhm
Student / sieben Kinder / Frau
Staatsprüfungen
Reporter / fragen // wann / schlafen
Sekretärin / Stricken
promovieren / Vamp 7

H.

Wunsiedel / Büro / Sekretärin / Gruß / zurufen
Sekretärin / zurückrufen
Abteilung zu Abteilung

I.

erste Woche / elf / zweite Woche / dreizehn
Spaß / Imperative / erfinden
er / finden / zwei Sätze / schön
„etwas / müssen / geschehen“ „das / nicht / dürfen / geschehen“

J.

Dienstagmorgen / Wunsiedel / Büro / und / rufen:
Gesicht / zögern lassen
zu lange / anbrüllen: antworten!
kaum / aussprechen // tatsächlich / geschehen
Boden
liegen / Tür
tot

K.

Erzähler / hinwegsteigen / Leiche // zu Broschek
Broschek / Schreibtisch / Telefonhörer
Kugelschreiber
„Es ist . . . “ / Erzähler
Broschek / fragen
Erzähler: Wunsiedel / tot

L.

Broschek folgen
Erzähler / drehen / Wunsiedel / Rücken

Zärtlichkeit / nie hassen
Wunsiedel / beerdigt
Erzähler / Kranz
bekommen / Angebot / Beerdigungsinstitut

M.

kündigen // weil / nicht ausgelastet
nach / erst- / Trauergang / wissen // Platz
Wunsiedels Grab / besuchen
verdanken / Beruf / Wunsiedel
Beruf // Nachdenklichkeit / erwünscht / Nichtstun / Pflicht

das **Erdgeschoß** ground floor, first floor
sich *vor•kommen (s) to feel; *lit.:* to seem to oneself
federleicht light as a feather **verspüren** to feel, sense
unbändig uncontrollable **tüchtig** *here:* heavily, hard

sich *besinnen auf to recall, remember, recollect

***heim•finden** to find the way home

lauern (auf) to lurk, lie in wait (for)

Wer ist man?

Kurt Kusenberg

Als Herr Boras um halb elf Uhr vormittags ins Erdgeschoß seines Hauses hinabstieg, kam er sich federleicht vor und verspürte unbändige Lachlust. Am Abend vorher hatte er mit einem Freunde tüchtig getrunken, zuerst Wein, dann Schnaps, dann Bier, dann alles durcheinander. Es war wohl ein 5 bißchen viel gewesen, denn auf den Heimweg konnte er sich durchaus nicht mehr besinnen. Wozu auch? Er hatte heimgefunden, das stand fest, das genügte, er war spät aufgestanden und nun erwartete ihn drunten das Frühstück. Das Frühstück? Das Spätstück! Erwartete das Spätstück ihn oder erwartete er 10 das Spätstück? Vielleicht lauerten sie beide aufeinander. Die

die **Vorstellung, -en** notion, idea **überrumpeln** to take by surprise
los•prusten to burst out laughing, snort der **Zerstäuber, —** atomizer

hantieren to bustle about
***hin•ziehen** to attract, draw toward

verletzend cuttingly **hämisch** sneering, spiteful, sardonic

sich *ergehen to stroll, take a walk
der **Himbeerstrauch, ¨er** raspberry bush **gewahren** to notice, perceive
scharren to scratch, scrabble ***inne•halten** to pause, stop
äugen to eye (someone)
das Geknurre und Gebell growling and barking

wittern to smell, scent
dunsten *here:* to sweat
begütigend soothingly, in a conciliatory way
die **Herausforderung, -en** challenge, provocation
***zu•schlagen** to hit at (someone)

tollwütig rabid

der **Kreisel, —** top (spinning top)

sich erwehren + *gen.* to resist, stave off
bedrängen to crowd

der **Rausch, ¨e** intoxication, drunkenness
verleugnen to disavow, renounce

Vorstellung, daß er das listige Spätstück sogleich überrumpeln werde, erheiterte Herrn Boras, er prustete los wie ein Zerstäuber. Es war sein letztes Lachen an diesem Tage.

Im Erdgeschoß angelangt, beschloß Herr Boras, einen Blick in den Garten zu tun. Er hörte seine Frau in der Küche hantieren, doch zog es ihn zu ihr nicht hin. Leute, die früh aufgestanden sind, haben eine hohe Meinung von sich und behandeln Spätaufsteher streng, verletzend oder gar hämisch. Ein Garten hingegen ist die reine Güte; er schaut einen nicht an, sondern läßt sich anschauen. Er ist da, nur da und sehr grün. Grün aber braucht der Mensch, weil es ihn erfrischt — Grünes sehen ist fast so gesund wie Grünes essen.

Herr Boras erging sich ein wenig im Garten. Als er zu den Himbeersträuchern kam, gewahrte er seinen Hund, der eifrig ein Loch in die Erde scharrte. Er pfiff ihm. Das Tier hielt inne, äugte und lief herbei. Anstatt aber freudig an seinem Herrn hochzuspringen, umkreiste es ihn drohend, mit bösem Geknurre und Gebell.

Er hat etwas gegen mich, dachte Herr Boras. Vielleicht wittert er den Alkohol, der mir aus den Poren dunstet. „Komm her!" befahl er und klopfte begütigend an seiner Hose, doch der Hund nahm es für eine Herausforderung — er schnappte nach der Hose, und als Herr Boras zuschlug, biß er ihn in die Hand. Zorn packte diesen, gleich darauf aber Angst. Am Ende war das Tier tollwütig! Er trat den Rückweg an, um mit seiner Frau darüber zu reden. Langsam nur kam er von der Stelle, denn er mußte den Hund im Auge behalten; einem Kreisel gleich, drehte er sich seinem Hause zu.

„Was tun Sie in unserem Garten?" schrillte es, und als Herr Boras sich umwandte, blickte er in das Gesicht seiner Frau. Er konnte nicht lange hinblicken, weil er sich des Hundes erwehren mußte, der ihn nun noch ärger bedrängte.

„Martha!" rief er. „Ihr seid wohl alle verrückt geworden!"

„Noch einmal meinen Vornamen, und ich rufe die Polizei!" Wahrhaftig, so sprach sie mit ihm. Es war nicht zu glauben: eines kurzen Rausches wegen verleugnete sie die lange Ehe.

aufhetzen to stir up, incite

mutig courageous, bold
vor•rücken (s) **(gegen)** to advance (on, toward)

sich übel *betragen to behave badly
der **Abscheu** aversion, abhorrence

spöttisch mocking, scornful

sich *gestehen to admit to oneself

***heißen (hieß)** *here:* meant, involved Umgang - acquaintance
erloschen faded away, died out
seine Trägheit *überwinden to overcome his inertia

stolpern (s) to stumble

„Wer ist der Onkel?" erkundigte sich eine Kinderstimme. Herrn Boras traf das besonders schmerzlich, denn er liebte seinen Sohn. Und nun hatte man den Jungen aufgehetzt!

„Hinaus!" rief die Frau.

„Hinaus!" schrie der Knabe, mutig im Schutz der zornigen Mutter, und der Hund bellte dasselbe. Alle drei rückten gegen Herrn Boras vor. Da gab der Mann nach; wie ein Dieb verließ er sein eigenes Grundstück.

Ratlos durchschritt er die Straße, bog um die nächste Ecke, ging weiter, bog wieder ein und so fort, eine ganze Weile lang; seine Gedanken wollten sich gar nicht ordnen. Plötzlich fiel ihm ein, er könne sich vielleicht am Abend zuvor, bei der trunkenen Heimkehr, übel betragen und den Abscheu seiner Familie erregt haben. Wahrscheinlich war das freilich nicht, aber es war immerhin möglich; im Rausch ist vieles möglich, eigentlich alles.

Vielleicht, überlegte Herr Boras, hat Kilch mich gestern nach Hause gebracht, vielleicht weiß er mehr. Ich werde ihn fragen.

Der Freund wohnte nicht weit; fünf Minuten später läutete Herr Boras an seiner Tür. Kilch öffnete und blickte Herrn Boras kühl an. „Sie wünschen?" fragte er.

„Kilch!" rief Herr Boras. „Was soll der Unsinn?"

Der Andere zog ein spöttisches Gesicht. „Das frage ich mich auch!" sprach er und warf die Tür zu.

Selbst der Freund stand gegen ihn! Was mochte geschehen sein, da alle Türen sich vor Herrn Boras schlossen?

Ich blicke nicht durch, gestand sich der Arme. Zu den Meinen kann ich nicht zurück, jedenfalls heute nicht, die waren gar zu böse. Wo aber soll ich nächtigen? Bei Carlo natürlich. Er ist der bessere Freund, ich hätte es wissen sollen, wir kennen uns seit der Schulzeit, das bindet.

Carlo aufsuchen hieß eine kleine Reise tun, und daran war allmählich der Umgang mit dem Freunde erloschen. An diesem Tage aber überwand Herr Boras seine Trägheit, er fuhr eine gute halbe Stunde, bis er bei Carlos Wohnung anlangte. Auf der Treppe stolperte er. Schlecht! dachte Herr Boras. Schon den ganzen Tag stolpere ich.

ins Schloß *fallen (s) *freely:* to click shut

das **Empfinden** sensation, feeling

schweben to float (above the ground)

Ihm war die Gleichheit mit sich selber abhanden gekommen. *freely:* He had lost his sense of identity.

ein•büßen to lose **sich *aus•weisen** to prove one's identity

die **Einbildung, -en** figment

ungeschickt clumsy

heraus•rutschen (s) to slip out of

planmäßig regular, systematic

dem Gefüge der Welt nicht mehr angehören *freely:* to be out of phase with the world

die **Gepflogenheit, -en** habit

Umschau *halten (nach) to look around (for)

abgelegen remote

trübe gloomily

ähneln + *dat. obj.* to resemble, be like

auf•klinken to unlatch

der **Eierkuchen, —** pancake

streifen to brush, scrape

Er läutete. Schritte kamen näher, die Tür ging auf, der Schulfreund zeigte sich. „Ich kaufe nichts!“ sagte er unfreundlich. „Ich bestelle nichts, ich unterschreibe nichts, ich habe kein Geld. Guten Tag!“ Die Tür fiel ins Schloß. Während Herr Boras die Treppe hinabstieg, überkam ihn abermals das Empfinden, er sei federleicht und schwebe. Auch die Lachlust meldete sich wieder, doch war es eine andere als vorhin.

Auf der Straße — endlich, endlich! — begriff Herr Boras, was geschehen sei: ihm war, kurz gesagt, die Gleichheit mit sich selber abhanden gekommen. Er hatte seine Vergangenheit eingebüßt wie eine Brieftasche, er konnte sich nicht mehr ausweisen. Sonderbar! dachte Herr Boras. Zwar lebe ich, doch scheint es, als hätte ich nie gelebt, denn es sind keine Spuren geblieben. Und dabei war ich von meinem Dasein so fest überzeugt! Nein, es k a n n keine Einbildung gewesen sein. Wie aber habe ich das alles verloren! Vielleicht durch eine ungeschickte Bewegung? Richtig, so wird’s sein: ich bin aus dem Weltplan herausgerutscht und passe nun nirgends mehr hinein. Jeder Komet ist planmäßiger als ich.

Inzwischen war es ein Uhr nachmittags geworden. Obwohl Herr Boras, wie er meinte, dem Gefüge der Welt nicht mehr angehörte, spürte er Hunger, denn um diese Zeit pflegte er zu essen — sofern er überhaupt von Gepflogenheiten reden durfte. Er hielt Umschau nach einer Gastwirtschaft, doch damit stand es in dieser Gegend nicht zum besten; der abgelegene Vorort war nur zum Wohnen eingerichtet.

Trübe schritt Herr Boras an vielen Gärten, an vielen Häusern vorbei; manche ähnelten ungemein dem Hause, welches er bislang für das seine gehalten hatte. Deshalb war er auch nicht sonderlich erstaunt, als eine Frau sich aus einem Fenster beugte und ihm zurief: „Zeit, daß Du kommst! Die Suppe steht schon auf dem Tisch.“

Ohne lange zu überlegen, klinkte Herr Boras die Gartenpforte auf und trat ein; er hatte Hunger. An der Haustür sprang ihm ein Knabe entgegen. „Vati, es gibt Eierkuchen!“

„Fein, mein Junge!“ erwiderte Herr Boras. Er streifte den

flüchtig cursory, fast

unterschlüpfen (s) to find shelter, refuge

sich aus•suchen to choose, select
der **Tausch, -e** exchange

etwas auszusetzen haben to find fault with something

ab•wischen to wipe (off)

die **Obstschale, -n** fruit bowl **schälen** to peel
sich ein•gewöhnen to get used to things

angelehnt ajar
vor sich *gehen to happen

nicht bei Trost sein to be out of one's mind
Laß die Späße! Knock off the jokes.
die **Armenküche, -n** soup kitchen (welfare kitchen)
duzen to call "du" (use the familiar form of address)
das Feld räumen to quit the field, retreat **zu•knallen** to slam shut

die **Frechheit, -en** impertinence
***bei•stehen** + *dat. obj.* to stand by, support
plagen to torment
verwechseln to confuse, mistake (for)

Staub von den Schuhen, hing seinen Hut an den Haken, gab der Frau einen flüchtigen Kuß, setzte sich zu Tisch und begann die Suppe zu löffeln. Während des Essens betrachtete er die Frau und den Jungen, vorsichtig, damit es ihnen nicht auffiel, denn sie hielten ihn offenbar für den Hausvater. Die Frau war nicht übel, und auch der Junge gefiel ihm; das Essen schmeckte gut.

Ach was, dachte er, Familie ist Familie, die Hauptsache bleibt, man hat eine. Ich kann von Glück reden, daß ich wieder untergeschlüpft bin, es sah vorhin trübe aus. Gewiß, ich habe mir die beiden hier nicht ausgesucht, doch was sucht man sich schon aus? Man wählt ja immer, wie man muß. Nein, nein, der Tausch ist ganz gut, er verspricht sogar einiges — zumindest Abwechslung.

„Was schaust Du uns so an?" fragte die Frau. „Hast Du etwas auszusetzen?"

Herr Boras wischte sich die Lippen mit dem Mundtuch ab. „Im Gegenteil, alles ist in bester Ordnung." Er griff in die Obstschale, nahm einen Apfel und begann ihn zu schälen. Bald, das wußte er, würde er sich eingewöhnt haben. Vielleicht hatte er immer schon hier gelebt und sich das andere Dasein nur eingebildet. Wer weiß schon genau, ob er träumt oder lebt?

Es läutete. „Bleib sitzen!" sprach die Frau, stand auf und ging hinaus. Da sie die Tür angelehnt ließ, konnte man genau hören, was im Flur vor sich ging.

„Wohin? Was soll das!" erklang streng die Stimme der Frau. „Sofort hinaus — oder ich rufe meinen Mann!"

„Du bist wohl nicht bei Trost!" antwortete eine Männerstimme. „Laß die Späße, ich habe Hunger."

„Hier ist keine Armenküche. Hinaus! Ich werde Sie lehren, mich zu duzen!" Nun, der Streit ging weiter, doch nicht lange. Der Mann räumte das Feld, und die Tür knallte hinter ihm zu.

Mit rotem Gesicht trat die Frau wieder ein. „Solch eine Frechheit! Und Du stehst mir natürlich nicht bei."

„Der Bursche tat mir leid", entgegnete Herr Boras. „Sicherlich plagte ihn Hunger oder er hat unser Haus mit dem seinen verwechselt."

spendieren to treat (someone to)
ein•holen to catch up with

wie Ihnen zumute ist how you must feel
kritzeln to scrawl, scribble

enteilen (s) to hurry off

vorsorglich as a precaution
*__zu•stoßen__ (s) to befall, happen to

stricken to knit

„Verwechselt?“ rief die Frau. „Der hat bestimmt kein Haus, auch keine Familie.“

Herr Boras erhob sich eilig. „Eben darum will ich ihm ein Mittagessen spendieren. Ich bin sofort zurück.“ Er lief hinaus und holte den Fremden an der Gartenpforte ein. Der Mann war 5 bleich vor Erregung, seine Augen blickten verwirrt.

„Ich kann mir denken“, sprach Herr Boras, „wie Ihnen zumute ist, und ich will helfen.“ Er zog sein Notizbuch, kritzelte eine Zeile und riß das Blatt ab. „Hier, mein Freund, haben Sie eine gute Adresse. Fahren Sie hin, aber rasch — sonst wird das 10 Essen kalt.“

Der Andere nahm den Zettel, fand jedoch keine Worte. Er hätte sie auch nicht mehr anbringen können, denn Herr Boras enteilte bereits.

„Du bist viel zu gutmütig“, meinte die Frau, als er eintrat. 15 Herr Boras setzte sich und nahm den Apfel wieder vor. „Durchaus nicht. Ich habe nur vorsorglich gespendet. Was heute ihm passiert, kann morgen mir zustoßen.“

Am nächsten Tag fuhr Herr Boras in die Stadt und suchte die Straße auf, in der er gewohnt hatte. Als er bei seinem Hause 20 vorbeischritt, sah er seine Frau mit dem Anderen im Garten sitzen. Die Frau strickte, der Mann las die Zeitung; beide schauten zufrieden drein. Da war auch Herr Boras zufrieden.

Cue-sheet

Use the following cues to relate the story.

A.

Boras / vormittags / Erdgeschoß
Lachlust
Abend / Freund / getrunken
bißchen viel
heimgefunden / aufgestanden
Frühstück / Spätstück
Lachen

B.

Frau / Küche
Frühaufsteher / Spätaufsteher
Garten
Hund / Loch / Erde
Boras / pfeiffen // aber . . .
Boras / klopfen / Hose // Hund / Herausforderung
Hund / beißen / Hand

C.

Boras / wollen reden / Frau
Frau / wollen wissen // Garten?
Boras: verrückt?
Frau: Polizei!
Sohn
wie ein Dieb

D.

ratlos / Straße
einfallen // Heimkehr / übel betragen
Rausch / möglich

E.

zu Kilch
Freund / kühl
Boras: Unsinn
Kilch / Tür

F.

Boras / wo / übernachten
Carlo / seit / Schulzeit
halbe Stunde
Treppe / stolpern
Schulfreund: kaufen / bestellen / unterschreiben
wieder / Lachlust

G.

Boras / begreifen // Gleichheit mit sich selber
Vergangenheit / Brieftasche
nirgends / hineinpassen
doch / Hunger
Gastwirtschaft

H.

Gärten / Häuser / ähneln / eigenes Haus
Boras / nicht erstaunt // als / Frau . . .
Boras / eintreten // weil / Hunger

Knabe
Staub / Schuhe // Hut / Haken // Frau / Kuß // Tisch / Suppe
Frau / Junge / gefallen / Essen

I.

Boras / denken // Hauptsache
Tausch / Abwechslung
Boras / wissen // bald / eingewöhnen
vielleicht / anderes Dasein / einbilden

J.

läuten // Frau / hinaus
ein Mann / wollen / hereinkommen
Frau: hinaus! // oder / rufen
Mann: Hunger
Frau: Armenküche

K.

Frau / wieder ein
Frechheit!
der Mann / leid tun / Boras
Haus verwechseln
Boras / wollen spendieren

L.

Boras / hinaus / einholen
sagen / helfen
Notizbuch / Adresse
Boras: rasch! // Essen / kalt

M.

nächst- / Tag / Boras / Stadt / Haus
Boras / sehen . . .
zufrieden

Strong and Irregular Verbs

INFINITIVE (*3rd sing. pres.*)	PAST (*3rd sing. pres. subj. II*)	PAST PARTICIPLE	MEANING
backen (bäckt)	**buk** *or* **backte** (büke *or* backte)	**gebacken**	*to bake*
befehlen (befiehlt)	**befahl** (beföhle)	**befohlen**	*to command*
beginnen	**begann** (begänne)	**begonnen**	*to begin*
beißen	**biß**	**gebissen**	*to bite*
bergen (birgt)	**barg** (bärge)	**geborgen**	*to hide*
bersten (birst)	**barst** (bärste)	ist **geborsten**	*to burst*

bewegen	**bewog** (bewöge)	**bewogen**	*to induce*[1]
biegen	**bog** (böge)	**gebogen**	*to bend*
bieten	**bot** (böte)	**geboten**	*to offer*
binden	**band** (bände)	**gebunden**	*to bind*
bitten	**bat** (bäte)	**gebeten**	*to request*
blasen (bläst)	**blies**	**geblasen**	*to blow*
bleiben	**blieb**	ist **geblieben**	*to remain*
braten (brät *or* bratet)	**briet**	**gebraten**	*to roast*
brechen (bricht)	**brach** (bräche)	**gebrochen**	*to break*
brennen	**brannte** (brennte)	**gebrannt**	*to burn*
bringen	**brachte** (brächte)	**gebracht**	*to bring*
denken	**dachte** (dächte)	**gedacht**	*to think*
dingen	**dingte** *or* **dang** (dänge)	**gedungen**	*to engage, hire*
dringen	**drang** (dränge)	ist, hat **gedrungen**	*to press*
dünken (*impers.*) (dünkt *or* deucht)	**dünkte** *or* **deuchte**	**gedünkt** *or* **gedeucht**	*to seem*
dürfen (darf)	**durfte** (dürfte)	**gedurft**	*to be allowed*
einladen	**lud . . . ein** *or* **ladete . . . ein** (lüde . . . ein *or* ladete . . . ein)	**eingeladen**	*to invite*
empfehlen (empfiehlt)	**empfahl** (empfähle)	**empfohlen**	*to recommend*
erbleichen	**erblich**	ist **erblichen**	*to grow pale*

[1] **Bewegen** meaning *to move* is weak.

erlöschen (erlischt)	**erlosch** (erlösche)	**erloschen**	*to go out* (of light)
erschrecken[1] (erschrickt)	**erschrak** (erschräke)	ist **erschrocken**	*to become frightened*
essen (ißt)	**aß** (äße)	**gegessen**	*to eat* (of people)
fahren (fährt)	**fuhr** (führe)	ist, hat **gefahren**	*to drive*
fallen (fällt)	**fiel**	ist **gefallen**	*to fall*
fangen (fängt)	**fing**	**gefangen**	*to catch*
fechten (ficht)	**focht** (föchte)	**gefochten**	*to fight*
finden	**fand** (fände)	**gefunden**	*to find*
flechten (flicht)	**flocht** (flöchte)	**geflochten**	*to braid*
fliegen	**flog** (flöge)	ist, hat **geflogen**	*to fly*
fliehen	**floh** (flöhe)	ist **geflohen**	*to flee*
fließen	**floß** (flösse)	ist **geflossen**	*to flow*
fressen (frißt)	**fraß** (fräße)	**gefressen**	*to eat* (of animals)
frieren	**fror** (fröre)	**gefroren**	*to freeze*
gebären (gebiert *or* gebärt)	**gebar** (gebäre)	**geboren**	*to bear*
geben (gibt)	**gab** (gäbe)	**gegeben**	*to give*
gedeihen	**gedieh**	**gediehen**	*to thrive*
gehen	**ging**	ist **gegangen**	*to go*
gelingen	**gelang** (gelänge)	ist **gelungen**	*to succeed*
gelten (gilt)	**galt** (gälte)	**gegolten**	*to be worth*

[1] **Erschrecken** used transitively is weak.

genesen	**genas** (genäse)	ist **genesen**	*to recover*
genießen	**genoß** (genösse)	**genossen**	*to enjoy*
geschehen (*impers.*) (geschieht)	**geschah** (geschähe)	ist **geschehen**	*to happen*
gewinnen	**gewann** (gewönne)	**gewonnen**	*to win*
gießen	**goß** (gösse)	**gegossen**	*to pour*
gleichen	**glich**	**geglichen**	*to resemble*
gleiten	**glitt**	ist **geglitten**	*to glide*
glimmen	**glomm** *or* **glimmte** (glömme)	**geglommen** *or* **geglimmt**	*to gleam*
graben (gräbt)	**grub** (grübe)	**gegraben**	*to dig*
greifen	**griff**	**gegriffen**	*to seize*
haben (du hast, er hat)	**hatte** (hätte)	**gehabt**	*to have*
halten (hält)	**hielt**	**gehalten**	*to hold*
hängen	**hing**	**gehangen**	*to hang* (intrans.)
heben	**hob** (höbe)	**gehoben**	*to lift*
heißen	**hieß**	**geheißen**	*to be called*
helfen (hilft)	**half** (hülfe)	**geholfen**	*to help*
kennen	**kannte** (kennte)	**gekannt**	*to know*
klimmen	**klomm** (klömme)	ist **geklommen**	*to climb*
klingen	**klang** (klänge)	**geklungen**	*to sound*
kneifen	**kniff**	**gekniffen**	*to pinch*
kommen	**kam** (käme)	ist **gekommen**	*to come*
können (kann)	**konnte** (könnte)	**gekonnt**	*to be able*
kriechen	**kroch** (kröche)	ist **gekrochen**	*to creep*

laden (lädt)	**lud** (lüde)	**geladen**	*to load; invite*
lassen (läßt)	**ließ**	**gelassen**	*to let*
laufen (läuft)	**lief**	ist **gelaufen**	*to run*
leiden	**litt**	**gelitten**	*to suffer*
leihen	**lieh**	**geliehen**	*to lend*
lesen (liest)	**las** (läse)	**gelesen**	*to read*
liegen	**lag** (läge)	**gelegen**	*to lie, recline*
lügen	**log** (löge)	**gelogen**	*to (tell a) lie*
mahlen	**mahlte**	**gemahlen**	*to grind*
meiden	**mied**	**gemieden**	*to avoid*
melken (melkt)	**molk** *or* **melkte** (mölke)	**gemolken** *or* **gemelkt**	*to milk*
messen (mißt)	**maß** (mäße)	**gemessen**	*to measure*
mögen (mag)	**mochte** (möchte)	**gemocht**	*to like; may*
müssen (muß)	**mußte** (müßte)	**gemußt**	*must*
nehmen (nimmt)	**nahm** (nähme)	**genommen**	*to take*
nennen	**nannte** (nennte)	**genannt**	*to name*
pfeifen	**pfiff**	**gepfiffen**	*to whistle*
preisen	**pries**	**gepriesen**	*to praise*
quellen (quillt)	**quoll** (quölle)	ist **gequollen**	*to gush*
raten (rät)	**riet**	**geraten**	*to advise*
reiben	**rieb**	**gerieben**	*to rub*
reißen	**riß**	ist, hat **gerissen**	*to rip*
reiten	**ritt**	ist, hat **geritten**	*to ride*
rennen	**rannte** (rennte)	ist **gerannt**	*to run*
riechen	**roch** (röche)	**gerochen**	*to smell*
ringen	**rang** (ränge)	**gerungen**	*to struggle, wrestle; wring*

rinnen	**rann** (ränne)	ist	**geronnen**	*to run*
rufen	**rief**		**gerufen**	*to call*
salzen	**salzte**		**gesalzen**	*to salt*
saufen (säuft)	**soff** (söffe)		**gesoffen**	*to drink* (of animals)
saugen	**sog** (söge)		**gesogen**	*to suck*
schaffen[1]	**schuf** (schüfe)		**geschaffen**	*to create*
scheiden	**schied**	ist	**geschieden**	*to separate*
scheinen	**schien**		**geschienen**	*to seem; shine*
schelten (schilt)	**schalt** (schälte)		**gescholten**	*to scold*
schieben	**schob** (schöbe)		**geschoben**	*to shove*
schießen	**schoß** (schösse)		**geschossen**	*to shoot*
schlafen (schläft)	**schlief**		**geschlafen**	*to sleep*
schlagen (schlägt)	**schlug** (schlüge)		**geschlagen**	*to strike*
schleichen	**schlich**	ist	**geschlichen**	*to sneak*
schließen	**schloß** (schlösse)		**geschlossen**	*to close*
schlingen	**schlang** (schlänge)		**geschlungen**	*to wind; devour*
schmeißen	**schmiß**		**geschmissen**	*to fling*
schmelzen (schmilzt)	**schmolz** (schmölze)	ist, hat	**geschmolzen**	*to melt*
schneiden	**schnitt**		**geschnitten**	*to cut*
schreiben	**schrieb**		**geschrieben**	*to write*
schreien	**schrie**		**geschrien**	*to cry*
schreiten	**schritt**	ist	**geschritten**	*to stride*
schweigen	**schwieg**		**geschwiegen**	*to be silent*
schwellen (schwillt)	**schwoll** (schwölle)	ist	**geschwollen**	*to swell* (intrans.)
schwimmen	**schwamm** (schwämme)	ist, hat	**geschwommen**	*to swim*
schwinden	**schwand** (schwände)	ist	**geschwunden**	*to disappear*

[1] **Schaffen** meaning *to work, to be busy* is weak.

schwingen	**schwang** (schwänge)	**geschwungen**	*to swing*
schwören	**schwur** *or* **schwor** (schwüre)	**geschworen**	*to swear*
sehen (sieht)	**sah** (sähe)	**gesehen**	*to see*
sein (ist)	**war** (wäre)	ist **gewesen**	*to be*
senden	**sandte** (sendete)	**gesandt**	*to send*
sieden	**sott** (sötte)	ist, hat **gesotten**	*to boil*
singen	**sang** (sänge)	**gesungen**	*to sing*
sinken	**sank** (sänke)	ist **gesunken**	*to sink*
sinnen	**sann** (sänne)	**gesonnen**	*to think*
sitzen	**saß** (säße)	**gesessen**	*to sit*
sollen (soll)	**sollte**	**gesollt**	*shall*
speien	**spie**	**gespien**	*to spit*
spinnen	**spann** (spänne)	**gesponnen**	*to spin*
sprechen (spricht)	**sprach** (spräche)	**gesprochen**	*to speak*
sprießen	**sproß** (sprösse)	ist **gesprossen**	*to sprout*
springen	**sprang** (spränge)	ist **gesprungen**	*to spring*
stechen (sticht)	**stach** (stäche)	**gestochen**	*to prick*
stecken	**stak** (stäke)	**gesteckt**	*to stick* (intrans.)
stehen	**stand** (stünde)	**gestanden**	*to stand*
stehlen (stiehlt)	**stahl** (stähle)	**gestohlen**	*to steal*
steigen	**stieg**	ist **gestiegen**	*to ascend*
sterben (stirbt)	**starb** (stürbe)	ist **gestorben**	*to die*

stieben	**stob** (stöbe)	ist **gestoben**	*to scatter*
stinken	**stank** (stänke)	**gestunken**	*to stink*
stoßen (stößt)	**stieß**	**gestossen**	*to push*
streichen	**strich**	ist, hat **gestrichen**	*to stroke*
streiten	**stritt**	**gestritten**	*to argue*
tragen (trägt)	**trug** (trüge)	**getragen**	*to carry*
treffen (trifft)	**traf** (träfe)	**getroffen**	*to meet; hit*
treiben	**trieb**	**getrieben**	*to drive*
treten (tritt)	**trat** (träte)	ist, hat **getreten**	*to step*
triefen	**troff** (tröffe)	**getroffen**	*to drip*
trinken	**trank** (tränke)	**getrunken**	*to drink*
trügen	**trog** (tröge)	**getrogen**	*to deceive*
tun (tut)	**tat** (täte)	**getan**	*to do*
verderben (verdirbt)	**verdarb** (verdürbe)	ist, hat **verdorben**	*to spoil*
verdrießen	**verdroß** (verdrösse)	**verdrossen**	*to annoy*
vergessen (vergißt)	**vergaß** (vergäße)	**vergessen**	*to forget*
verlieren	**verlor** (verlöre)	**verloren**	*to lose*
verlöschen (verlischt)	**verlosch** (verlösche)	ist **verloschen**	*to extinguish*
verschlingen	**verschlang** (verschlänge)	**verschlungen**	*to wind; devour*
verschwinden	**verschwand** (verschwände)	ist **verschwunden**	*to disappear*
verzeihen	**verzieh** (verziehe)	**verziehen**	*to pardon*
wachsen (wächst)	**wuchs** (wüchse)	ist **gewachsen**	*to grow*
wägen	**wog** (wöge)	**gewogen**	*to weigh* (fig.)

waschen (wäscht)	**wusch** (wüsche)	**gewaschen**	*to wash*
weichen	**wich**	ist **gewichen**	*to yield*
weisen	**wies**	**gewiesen**	*to show*
wenden	**wandte** *or* **wendete**	**gewandt** *or* **gewendet**	*to turn*
werben (wirbt)	**warb** (würbe)	**geworben**	*to apply (for)*
werden (wird)	**wurde** *or* **ward** (würde)	ist **geworden**	*to become*
werfen (wirft)	**warf** (würfe)	**geworfen**	*to throw*
wiegen	**wog** (wöge)	**gewogen**	*to weigh* (lit.)
winden	**wand** (wände)	**gewunden**	*to wind*
wissen (weiß)	**wußte** (wüßte)	**gewußt**	*to know*
wollen (will)	**wollte**	**gewollt**	*will*
wringen	**wrang** (wränge)	**gewrungen**	*to wring*
zeihen	**zieh** (ziehe)	**geziehen**	*to accuse*
ziehen	**zog** (zöge)	ist, hat **gezogen**	*to pull, move*
zwingen	**zwang** (zwänge)	**gezwungen**	*to force*

Vocabulary

der **Abend, -e** evening
das **Abendbrot** supper
das **Abendessen, —** dinner, supper
abends in the evening
aber but
abermals again, once more
abgearbeitet worn out by work
die **Abgefeimtheit, -en** cunning

• separable prefix
* strong verb
(s) verb with auxiliary **sein**

abgelegen remote
abgeseilt roped off
abhanden *kommen (s) to get lost
ab•holen to pick up
der **Ablauf, ⸚e** lapse, expiration
ab•lehnen to refuse, decline
* **ab•nehmen** to take off
die **Abneigung, -en** antipathy, dislike
ab•nutzen to wear out by use
die **Abrechnung, -en** settlement of accounts
der **Absatz, ⸚e** paragraph

der **Abscheu** disgust, abhorrence, aversion
* **ab•schlagen** to knock off
* **ab•schließen** to break off
* **ab•schneiden** to cut off

der **Abschnitt, -e** period (of time); excerpt
absichtlich purposeful(ly)
ab•spülen to rinse off
der **Abstecher, —** digression
abstehende Ohren protruding ears
die **Abteilung, -en** department
ab•trennen to separate, cut off
ab•tropfen to drip off
ab•tupfen to dab at
ab und zu now and then
die **Abwechslung, -en** change
* **ab•weisen** to refuse

abwesend absent, vacant
ab•wischen to wipe (off)
die Achseln zucken to shrug one's shoulders
acht (die Achter) eight (the eights)
der **Acker, -̈** field, land
die **Agenda** (*usually:* die **Agende**), **-en** agenda, memorandum book
ähneln to resemble
ahnen to suspect, have a presentiment
ähnlich (+ *dat.*) similar (to)
die **Ähnlichkeit, -en** similarity
alarmiert alarmed
alleinstehend single, alone
allerdings to be sure
allerhand all manner of
allerlei all sorts of
alles everything
allgemein general(ly)
allmählich gradual(ly)
als as, when; than
als ob as if
alt (älter, ältest) old
das **Alter** age
Amerika America
die **Amme, -n** nursemaid
sich **amüsieren** to enjoy or amuse oneself
der **Anblick** sight (*e.g.,* the sight of her face)
* **an•bringen** to add on, put in

an•brüllen to roar at
ander- other
an•deuten to indicate, suggest
der **Anfang, -̈e** beginning
von Anfang an from the beginning
* **an•fangen** to begin

an•fertigen to prepare
die **Anfrage, -n** inquiry
das **Angebot, -e** offer (of a job)
angefüllt filled
* **an•gehen** (s) to go on (*e.g.,* lights)

an•gehören (+ *dat.*) to belong to
angelangt having reached, arrived at
angelehnt ajar
der **Angestellte, -n** (*adj. noun*) employee
die **Angst, -̈e** fear, anxiety

ängstlich anxious(ly)
* **an•halten** to hold (*e.g.*, one's breath)
anhaltend persisting, continuing
an•lächeln to smile at
(einen) an•lachen to laugh (while looking at someone; *not:* to laugh at someone in the pejorative sense)
der **Anlaß, ⸚sse** occasion
an•merken to notice, observe
* **an•nehmen** to accept, take, assume
die **Anordnung, -en** arrangement
an•reden to address, speak to
an•rühren to touch
an•schauen to look at
anscheinend apparently
an•schwindeln to swindle
* **an•sehen** to look at
die **Ansichtskarte, -n** picture postcard
an•spannen to hitch up (horses)
die **Ansprache, -n** address, speech
der **Anspruch, ⸚e** claim
die **Anstalt, -en** institution
anständig decent
die **Anständigkeit, -en** decency
anstandslos unhesitating(ly)
an•stellen to conduct
die **Anstrengung, -en** effort
antik classical (*referring to classical antiquity*)
die **Antwort, -en** answer
antworten (+ *dat.*) to answer (*with people*)
antworten auf (+ *acc.*) to answer (*with things*)
an•vertrauen to entrust
das **Anwesen, —** estate, property, premises, house
anwesend present
das **Anzeichen, —** sign, indication
an•zeigen to advertise
* **an•ziehen** to put on
an•zünden to ignite
die **Apotheke, -n** drugstore
der **Apotheker, —** pharmacist, druggist
das **Aquarium,** die **Aquarien** aquarium
die **Arbeit, -en** work
arbeiten to work
der **Ärger** annoyance, vexation
ärgerlich vexed, angry, annoyed
ärgern to annoy, irritate
der **Arm, -e** arm
die **Armenküche, -n** soup kitchen (welfare kitchen)
der **Artikel, —** article
der **Arzt, ⸚e** doctor
das **As, -se** ace (*in cards*)
das **Asthma** asthma
der **Atem** breath
atemlos breathless
der **Atemzug, ⸚e** moment
atmen to breathe
die **Atmosphäre** atmosphere
auch also, too
auch wenn even if
auf on, onto

auf•bewahren to store, keep
* **auf•bringen** to annoy, irritate
auf einmal all at once
der **Aufenthalt, -e** stay
* **auf•essen** to eat up
* **auf•fallen** to attract attention
* **auf•fangen** to catch while in motion, snatch up
auf•fordern to call up, ask (someone to do something)
aufgegriffen apprehended, stopped
aufgekratzt wound up, excited
aufgeregt excited(ly)
* **auf•halten** to delay, hold up
auf•hetzen to stir up, incite
auf•hören to stop, cease
auf•klinken to unlatch
die **Auflehnung, -en** revolt
auf•machen to open
die **Aufmachung, -en** staging, get-up
* **auf•nehmen** to take in, take up
auf•patschen to clap; slap
* **aufrecht•erhalten** to keep up, maintain
die **Aufregung, -en** excitement, agitation
auf•richten to straighten up, stand up
* **auf•rufen** to call up, call forward
auf•schrauben to unscrew
* **auf•schreien** to scream out
* **auf•sehen** to look up
das **Aufsehen** sensation
auf•setzen to put on (a hat)
* **auf•stehen** (s) to get up, stand up
auf•suchen to look up, search out
auf•tauen to thaw out
der **Auftritt, -e** appearance, performance
auf•wachen (s) to wake up
der **Aufwand, ⸚e** (**an** + *dat.*) display, show (of)
auf•zehren to devour
das **Auge, -n** eye
äugen to eye
der **Augenblick, -e** moment
das **Augenlicht** *poet.:* sight
der **Augenzeuge, -n** eye witness
die **Augsburgerin, -nen** Augsburg woman
* **aus•brechen** to break out
die **Ausdrucksweise, -n** method of expression
ausersehen selected
der **Ausflugsort** place for an outing
ausführlich detailed
* **aus•geben** to spend (money)
ausgeglichen even (-tempered)
ausgelastet loaded up; utilized
ausgemalt painted

ausgemergelt emaciated
ausgerechnet exactly
ausgesprochen avowed, really, decidedly
ausgestattet equipped
* **aus•halten** to stand (something), put up with
aus•handeln to transact; conclude a business deal
aus•kosten to taste to the full
aus•lösen to elicit, inspire, result in
aus•machen to arrange, agree; turn off
die **Ausnahme, -n** exception
aus•rechnen to figure out, calculate
aus•reden to talk out of
ausreichend sufficient
aus•renken to dislocate, crane (one's neck)
aus•richten to achieve
(einem) aus•richten to deliver a message (to someone)
das **Ausrufezeichen, —** (or **Ausrufungszeichen)** exclamation point
sich **aus•ruhen** to rest
sich **aus•rüsten** to equip oneself
die **Aussage, -n** testimony
aus•sagen to testify
* **aus•sehen** to look, appear
außer (*dat. prep.*) besides
außerdem besides
äußerlich outward(ly)
äußern to express, say
außerstande unable, incapable
zum Äußersten *greifen to take most extreme measures
die **Äußerung, -en** remark
aus•spannen to unhitch (horses)
aus•spielen to play a card
* **aus•sprechen** to pronounce
* **aus•stoßen** to thrust out, knock out; emit, utter (a cry or scream)
aus•strecken to stretch out
aus•suchen to choose, select
die **Auszeichnung, -en** honor, distinction
etwas auszusetzen haben to have a quarrel with, find fault with
die **Autorität, -en** authority
Avignon *city in southern France*

die **Backe, -n** cheek
der **Bademantel, ¨—** bathrobe
badisch *referring to Baden, Germany*
bald darauf shortly thereafter
bangen um (+ *acc.*) to worry about
die **Bank, ¨—e** bench
der **Bankert, -e** bastard
barfuß barefoot
die **Barsängerin, -nen** café singer, nightclub singer
der **Bart, ¨—e** beard
die **Barthaare** (*pl.*) whiskers

bärtig bearded
bauen to build
der **Bauernhof, ¨-e** farm
die **Bauersleute** farmers
der **Baumstumpf, ¨-e** stump
Bayern Bavaria
bebend quaking, trembling
bedächtig slow(ly), deliberate(ly)
bedauern to pity
bedecken to cover
* **bedenken** to think about, consider
bedeuten to mean
bedienen to serve; operate (a machine)
bedrängen to crowd, press, harass
die **Beerdigung, -en** funeral
das **Beerdigungsinstitut, -e** funeral home
das **Beereneinkochen** putting up preserves
* **befehlen** to order, command
sich * **befinden** to be, find oneself
befragen to ask, question, interrogate
befremden to appear strange to, astonish, surprise
die **Befriedigung, -en** satisfaction, gratification
sich **begegnen** to meet each other
die **Begeisterung** enthusiasm
der **Beginn** beginning
zu Beginn at the beginning
* **beginnen** to begin
begleiten to accompany
sich **begnügen mit** to content oneself with, be satisfied with
das **Begräbnis, -se** funeral
der **Begriff, -e** concept
im Begriff etwas zu tun to be just about to do something
die **Begründung, -en** reason
begrüßen to greet
die **Begrüßung, -en** greeting
begütigend soothing(ly); conciliatory
* **behalten** to keep, retain
beharrlich persistent(ly), repeated(ly)
behaupten to maintain, assert
die **Behörden** (*pl.*) the authorities
bei by, with, near, at someone's house
beide both
beiläufig casually, in passing
das **Bein, -e** leg; bone
beinahe almost
* **bei•stehen** (+ *dat.*) to stand by, support
bei•wohnen (+ *dat.*) to attend, be present at
beizeiten in time
der **Bekannte, -en** (*adj. noun*) acquaintance
* **bekommen** to get, receive
bekümmert troubled
* **beladen** to load
belanglos inconsequential, pointless
bellen to bark
sich **bemächtigen** (+ *gen.*) to seize

sich **bemühen** to try, attempt
sich * **benehmen** to behave
beneiden to envy
benutzen to use
beobachten to observe
die **Beratung, -en** counseling
einem etwas berechnen to charge a person for something
bereden to discuss
bereits already
der **Bericht, -e** report
berichten über (+ *acc.*) to report about
der **Beruf, -e** profession
beruflich professional
berufsmäßig professional
berühmt famous
berühren to touch
der **Bescheid** news, information; reply
bescheiden modest
* **beschließen** to decide
beschwerlich difficult, cumbersome
* **besingen** to sing about (someone or something)
sich * **besinnen auf** (+ *acc.*) to recall, recollect
* **besitzen** to possess
besonder- special
besonders especially
besorgen to take care of, look after (*only with things*)
die **Besserung, -en** improvement
bestätigen to confirm, prove
* **bestechen** bribe
das **Besteck, -e** silver (*i.e.*, silverware)
* **bestehen** (*trans.*) to pass (a test)
* **bestehen aus** to consist of
* **bestehen in** (+ *dat.*) to consist in
bestellen to order (something)
bestimmt definite
bestimmt für meant for, intended for
die **Bestimmtheit** certainty
der **Besuch, -e** visit
betäubt stunned
der **Beteiligte, -n** (*adj. noun*) person taking part (in something)
betonen to stress
betrachten to observe, look at, consider
sich * **betragen** to behave, conduct onself
* **betreten** to walk (into or onto)
betreten (*adj.*) crestfallen
betreuen to take care of, look after (*with people and things*)
das **Bett, -en** bed
sich **beugen über** (+ *acc.*) to bend over
beunruhigt disturbed, worried
bevor before
bewährt proven, time-tested
sich **bewegen** to move
die **Bewegung, -en** movement
* **beweisen** to prove

bewundern to admire
das **Bewußtsein** consciousness
bezahlen to pay
* **biegen** (s) to turn (into a street); bend
das **Bier, -e** beer
* **bieten** to offer
das **Bild, -er** picture
billig cheap
* **binden** to bind, tie
der **Biologe, -n** biologist
bis until
bisher previously, up to now
bissig biting
die **Bitte, -n** request
blank shiny
blasiert dull; blasé
blaß pale
das **Blatt, ⸚er** sheet (of paper)
blau blue
blaugemalt blue-painted
das **Blech** tin
die **Blechmusik** brass (band) music
* **bleiben** (s) to stay, remain
der **Bleistift, -e** pencil
der **Blick, -e** glance, gaze
blicken to look, glance
der **Block, ⸚e** pad (of paper)
bloß mere(ly)
der **Blumenstrauß, ⸚e** bouquet
das **Blut** blood
der **Boden, ⸚** floor
die **Bombe, -n** bomb
böse angry, mad
einem (*dat.*) **böse sein** to be mad at someone
die **Botschaft, -en** message

brabbeln to babble
* **brach•liegen** to lie fallow
brauchen to need; use
* **brechen** to break
die **Bregg** break (a high-wheeled carriage)
breit wide, broad
* **brennen** to burn
der **Brief, -e** letter
der **Briefwechsel** correspondence
* **bringen** to bring, take
das **Brot, -e** bread
die **Brotkrümel** bread crumbs
der **Brotteller, —** bread plate
brüllen to howl
brummen to growl, grumble
das **Buch, ⸚er** book
der **Buchdrucker, —** printer
sich **bücken** to bend over, stoop
das **Bündel, —** bundle
bürgerlich bourgeois
der **Bursche, -n** guy, fellow
die **Butter** butter
das **Butterbrot, -e** bread and butter

der **Choleriker, —** choleric; *fig.:* a violent person

da there
der **Dachfirst, -e** roof ridge
die **Dachrinne, -n** gutter (of a roof)
dafür for it; on the other hand
dagegen against it
* **da•liegen** to lie there

damals formerly, previously, back then
damit with that; so that
der **Dampf, ⸚e** steam
der **Dampfer, —** steamship
dann then
daran by that, from that; of it
daraufhin after that, thereupon
darin in it
darüber above it, over it
darum for that reason
das **Dasein** existence
daß (*conj.*) that
die **Dauer** length, duration
auf die Dauer in the long run
dauern to last
das **Deckbett, -en** quilt
die **Decke, -n** ceiling; blanket; tablecloth
* **denken (an** + *acc.*) to think (of)
denn (*conj.*) because, for, since
derb severe; blunt; crude
derselbe the same
desgleichen the same
deuten auf (+ *acc.*) to point to, indicate
Deutschland Germany
dick fat, thick
die **Diebin, -nen** thief (*female*)
die **Diele, -n** hall
der **Dienst, -e** service
der **Dienstag, -e** Tuesday
der **Dienstagmorgen, —** Tuesday morning
das **Dienstmädchen, —** maid
dies- this
diesmal this time
das **Ding, -e** thing
dirigieren to conduct, direct
doch nonetheless
der **Donnerstag, -e** Thursday
das **Dorf, ⸚er** village
dort there
dösen to doze
der **Drang, ⸚e** urge, impulse
drängen to press
drausgewachsen outgrown
draußen outside
dreckig filthy, dirty
drehen to turn
drein•schauen to look
* **dringen** to penetrate
dringend urgent
dröhnen to boom, resound
der **Druck** pressure
drucken to print
sich **drücken** to make oneself scarce
drunten down below, downstairs
dumm stupid
dunkel dark
das **Dunkel** darkness
dünn thin
dunsten to sweat; steam
durch through, by means of
durch•blicken to see through (*i.e.*, understand)
* **durch•gehen** (s) to go through, pass
* **durchschreiten** to walk (through)
durch•setzen to push through

die **Durchsuchung, -en** search
* **dürfen** may, to be permitted to
das **Dutzend, -e** dozen

eben flat, level
ebenfalls likewise
echoen to echo
echt genuine
die **Ecke, -n** corner
die **Ehe, -n** marriage
ehelichen to marry
ehemalig former
der **Ehemann, ¨-er** married man
das **Ei, -er** egg
eichen oaken
das **Eidechsenauge, -n** lizard's eye
der **Eierkuchen, —** pancake
die **Eierspeise, -n** *type of scrambled eggs*
eifrig busy; zealous
eigen own
das **Eigenheim** one's own house
eigentlich actual(ly)
das **Eigentum, ¨-er** possession
sich **eignen für** to be suited for
die **Eignungsprüfung, -en** aptitude test
eilig quickly, hurriedly
* **ein•biegen** (s) to turn into (a street)
sich **(etwas) ein•bilden** to imagine (something)
die **Einbildung, -en** figment, fantasy
* **ein•bringen** to bring in, earn
ein•büßen to lose
der **Eindruck, ¨-e** impression
einer one (of them)
einfach simple; simply
* **ein•fallen** (s) to remember
ein•färben to dye
der **Eingang, ¨-e** entrance
* **ein•gehen** (s) **auf** (+ *acc.*) to enter into, agree to
sich **ein•gewöhnen** to get used to things
* **ein•gießen** to pour, pour in
ein•heiraten to marry into
einig- some
* **ein•laden** to invite
der **Einlaß, ¨-sse** admittance
sich * **ein•lassen auf** (+ *acc.*) to get involved in
einmal once
* **ein•nehmen gegen** (+ *acc.*) to prejudice against
ein•richten to set up
der **Einrichtungsfanatiker, —** interior decorating "nut"
einsam alone, lonely
* **ein•schlafen** (s) to fall asleep
einsilbig in monosyllables
* **ein•stecken** to put in; take along
der **Eintrag, ¨-e** to enter (*e.g.*, information)
* **ein•treten** (s) to enter
der **Eintritt** admittance, entry
einzeln single
einzig single; solely

die **Eisenbahn, -en** railroad, train
elegant elegant
elend miserable
die **Eltern** parents
* **empfangen** to receive
* **empfehlen** to recommend
* **empfinden** to feel
das **Empfinden, —** sensation, feeling
empört indignant
* **empor•wenden** to turn upward
das **Ende, -n** end
endigen to end, conclude
die **Energie** energy
eng narrow, close, small
englisch English
das **Enkelkind, -er** grandchild
enteilen (s) to hurry off
sich **entfernen** to move away, withdraw
entfernt von away from
das **Entgelt, -e** recompense, payment
sich * **enthalten** to resist
entlang along
* **entnehmen** to take it, deduce
* **entreißen** to take or tear something (from a person), snatch away
sich * **entschließen** to decide
entschlossen determined, with decision
der **Entschluß, ⸚sse** decision
die **Entschuldigung, -en** excuse
"Entschuldigung." "Excuse me."
das **Entsetzen** horror
entsetzt horrified
enttäuschen to disappoint
entzücken to charm, delight, enchant
erbarmenswürdig pitiable
erblicken to see, catch sight of
das **Erdenleben** "earthly life"
das **Erdgeschoß** ground floor, first floor
sich **ereifern (über** + *acc.*) to get excited or riled up about (something)
* **erfahren (über** + *acc.*) to learn (about), find out (about); experience
die **Erfahrung, -en** experience
erfrischen to refresh
* **ergeben** to yield, produce
sich * **ergehen** to stroll, take a walk
* **ergreifen** to seize
ergriffen seized
* **erhalten** to gain, acquire, receive
sich * **erheben** to rise, get up
erhebend uplifting
erheblich considerable
erheitern to amuse, cheer up
erhellen to illuminate
sich **erinnern (an** + *acc.*) to remember
sich **erkälten** to catch cold

* **erkennen (an** + *dat.*) to recognize (by)
erklären to explain
* **erklingen** to sound, resound
erkranken to get sick
sich **erkundigen nach** (+ *dat.*) to inquire about
erlauben to permit
die **Erlaubnis** permission
erleben experience
* **erlöschen** to die out, fade
erlösen to release, set free
ermüden to tire
ernähren to feed
ernstlich seriously
die **Ernte, -n** harvest
ernten to harvest
eröffnen to open
erpressen to extort
erproben to test
erregen to arouse
die **Erregung, -en** excitement, great emotion
* **erscheinen** to appear
die **Erscheinung, -en** appearance
* **erschlagen** to kill, slay; level (*slang*)
erschreckt startled
erschrocken horrified
erst first, only
erstarren to grow rigid, stiffen
erstens first, first of all
* **ertragen** to bear, stand, endure
erwacht awake
erwähnen to mention
erwarten to expect, await
die **Erwartung, -en** expectation, anticipation
sich **erwehren** (+ *gen.*) to resist, stave off
* **erweisen** to show to; do (*e.g.*, a service)
* **erwerben** to earn, garner
erwischen to catch
erzählen to tell, relate, narrate
* **erziehen** to educate, raise
der **Erzieher, —** teacher, educator
die **Erziehung, -en** education
das **Erztor, -e** bronze gate
Eßbares things to eat
* **essen** to eat (*of people*)
das **Essen, —** meal, food
etlich- several
etwa approximately, about; perhaps
etwas something
die **Existenz, -en** existence; people (*neg.*)

die **Fabrik, -en** factory
* **fahren** (s) to drive; travel
der **Fahrweg, -e** cart or carriage road
der **Fall, ¨-e** case, incident
* **fallen** to fall
(einem) leicht *fallen to be easy (for a person)
fallen *lassen to drop; let drop

die **Falte, -n** wrinkle, fold
die **Familie, -n** family
das **Familienleben** family life
die **Farbe, -n** color, dye
der **Färber, —** dyer
fassen to grasp
fast almost
faul lazy
die **Faust, ⸚e** fist
federleicht light as a feather
fehl am Platze *sein to be out of place
fehlen to be lacking or missing
der **Fehler, —** error, mistake
die **Feier, -n** celebration
nach Feierabend after work, after hours
feiern to celebrate
feingekleidet well-dressed
feixen to snort, suppress a laugh
das **Feld, -er** field
der **Feldherr, -n, -en** commander, general
das **Fenster, —** window
die **Ferien** (*pl.*) vacation
fest firm
festigen to secure, make firm
festlich festive
* **fest•stehen** to be a fact, be certain
fest•stellen to ascertain
das **Fieber —** fever
* **finden** to find
der **Finger, —** finger
die **Fingerspitze, -n** fingertip
fischig fishy
die **Flasche, -n** bottle
der **Fleischberg** mountain of flesh
fleischig fleshy, fat
der **Flickschuster, —** shoe repairman
* **fliegen** fly
die **Fliese, -n** tile
der **Floh, ⸚e** flea
die **Flucht, -en** escape
flüchtig cursory, fast, fleeting
der **Fluchtversuch, -e** attempt to flee
die **Folge, -n** consequence
die **Forderung, -en** demand
das **Fort, -s** small fort, fortress
* **fort•fahren** (s) to continue
der **Frachter, —** freighter
der **Fragebogen, —** questionnaire
fragen (nach + *dat.*) to ask (about)
die **Fragerei** questioning (*neg.*), nagging
Frankreich France
französisch French
die **Frau, -en** woman; Mrs.
frei free
die **Freiheit, -en** freedom
freilich to be sure, indeed
der **Freitag** Friday
fremd foreign, strange
die **Fremdenlegion** Foreign Legion
* **fressen** to eat (*of animals*); (*vulgar: of people*)
die **Freude, -n** joy

freudig cheerful(ly), joyful(ly)
sich **freuen auf** (+ *acc.*) to look forward to
sich **freuen über** (+ *acc.*) to be happy about
freundlich friendly
der **Friede, -ens, -en** peace
das **Friedhofscafé** cemetery café
frisch fresh
frischgebügelt freshly pressed
die **Frist, -en** period of time
fröhlich merry, joyous
die **Fröhlichkeit** merriment
die **Frucht, ⸚e** fruit
früh early
das **Frühstück, -e** breakfast
fühlen to feel
führen to lead
das **Fuhrwerk, -e** cart
füllen to fill
fünf five
funktionieren to function, work
für for
die **Furcht** fear
furchtbar frightful(ly)
fürchten to be afraid of
sich **fürchten** (**vor** + *dat.*) to be afraid (of)
der **Fuß, ⸚e** foot
der **Fußboden, ⸚** floor
die **Fußspitze, -n** tiptoe
der **Fußweg, -e** path

gähnen to yawn
der **Gang, ⸚e** hall, corridor; gait (*how one walks*)
ihr erster Gang the first place she went
ganz complete(ly); very
die **Garderobe, -n** dress, outfit, wardrobe; cloakroom
die **Gartenpforte, -n** garden gate
das **Gartentor, -e** garden gate
das **Gäßchen, —** little street
die **Gasse, -n** street
der **Gast, ⸚e** guest
der **Gasthof, ⸚e** inn
der **Gastwirt, -e** innkeeper
die **Gastwirtschaft, -en** inn, restaurant
die **Gattin, -nen** wife
das **Gebäude, —** building
das **Gebell** barking
geboren born; borne
der **Gebrauch, ⸚e** custom; use
gebrauchen to need; use
gebührend duly, properly
der **Geburtsort** place of birth
der **Geburtstag, -e** birthday
die **Geburtstagstorte, -n** birthday cake
der **Gedanke, -n** thought
die **Gedankenfreiheit** freedom of thought
sich **Gedanken machen** (**über** + *acc.*) to think or worry (about)
* **gedeihen** to thrive, get on well
die **Gefahr, -en** danger
gefährlich dangerous
(einem) *gefallen to please (someone)
das **Gefäß, -e** container
das **Gefüge** texture, make-up
gefürchtet feared

gegen against; along toward
gegenseitig mutual(ly), to each other
das **Gegenteil** the opposite
gegenüber across from, vis à vis
* **gehen** (s) to go
* **gehen um** (+ *acc.*) to be a matter of
der **Gehilfe, -n** apprentice
das **Gehölz, -e** wood, copse
gehorchen (+ *dat.*) to obey
gehören (+ *dat.*) to belong
geizig stingy
gekachelt tiled
das **Geknurre** growling
gekränkt insulted
gekrempelt rolled up
gelähmt paralyzed
das **Gelände** region; countryside
gelangen (s) to reach, arrive at
gelassen calm, composed
gelb yellow
gelbhäutig yellow-skinned
das **Geld, -er** money; coin
geldlich monetary
die **Gelehrsamkeit** learnedness, erudition
* **gelten** to be considered
gelüftet aired
gelungen successful
gemäß in keeping with
genau exact; closely
genehmigen to approve, sanction
genug (+ *gen.*) enough (of)
genügen to suffice
genügend sufficiently
die **Gepflogenheit, -en** habit
das **Geplärr** bawling, blubbering
gerade exactly, just
geradezu downright
* **geraten** to get into (a situation or a mood)
das **Geräusch, -e** sound, noise
die **Gerberei, -en** tannery
das **Gerede** talk, rumor, gossip
ins Gerede kommen to be talked or gossiped about
das **Gericht, -e** court (of law)
der **Gerichtsdiener, —** bailiff
der **Gerichtshof, ¨-e** court (of justice)
das **Gerücht, -e** rumor
das **Geschäft, -e** store, business; business transaction
geschäftig busily
der **Geschäftsmann,** die **Geschäftsleute** businessman
die **Geschäftsreise, -n** business trip
* **geschehen** (s) to happen
die **Geschichte, -n** story; history
geschmackvoll tasteful
das **Geschwätz, -e** idle chatter
die **Geschwindigkeit, -en** speed, velocity
die **Geschwister** (*pl.*) brothers and sisters

(einem) Gesellschaft leisten to keep (someone) company
das **Gesetz, -e** law
gesetzlich legal
das **Gesicht, -er** face
das **Gesinde** help, servants, hired hands
das **Gespräch, -e** conversation
ins Gespräch kommen to get into a conversation
die **Gestalt, -en** form, figure
(sich) **gestatten** to permit (oneself)
gestern yesterday
gesund healthy
gesunden to get well
die **Gesundheit** health
getönt toned, colored
das **Getränk, -e** drink
getreu faithful
das **Getümmel** turmoil
gewähren to grant, permit
gewähren *lassen to indulge something
* **gewinnen** to win
gewiß certain(ly), surely
das **Gewissen** conscience
gewissenhaft conscientious
sich **gewöhnen an** (+ *acc.*) to get used to
gewöhnlich usual(ly); common(ly)
gewohnt used (to), accustomed (to)
gewünscht desired
girren to coo
der **Glanz, ¨-e** gleam, radiance
das **Glas, ¨-er** glass
glasig glassy
der **Glasziegel, —** glass brick
der **Glaube, -ens, -en** belief, faith
gleich immediately, right away
gleichgültig indifferent
die **Gleichheit** sameness, identity
gleichmäßig even
die **Gleichung, -en** equation
gleichwohl anyway, nevertheless
gleichzeitig at the same time
das **Glockenläuten** ringing of bells
glücklich happy; fortunate
der **Glücksumstand, ¨-e** fortunate circumstance
glühen to glow
golden golden
der **Goldfisch, -e** goldfish
der **Gottesacker, —** cemetery
Gott sei Dank! Thank God!
das **Grab, ¨-er** grave
der **Grad, -e** degree
das **Gramm, -e** gram
das **Gratisbier, -e** free glass of beer
grau gray
* **greifen (nach** + *dat.*) to reach (for), grasp (for)
die **Greisin, -nen** old woman
grenzenlos boundless
das **Grinsen** grinning
grob coarse, crude

die **Grobheit, -en** coarseness, rudeness
großartig great, wonderful
die **Größe, -n** size
der **Größenunterschied, -e** difference in size
die **Großmutter, ¨-** grandmother
der **Großvater, ¨-** grandfather
* **groß·ziehen** to raise, bring up
großzügig generous, magnanimous
die **Grube, -n** pit
das **Grün** green
der **Grund, ¨-e** ground; basis, reason, cause
im Grunde at base
der **Grundgedanke, -n** basic idea
der **Grundsatz, ¨-e** principle
das **Grundstück, -e** property, piece of land
der **Gruß, ¨-e** greeting
grüßen to greet
der **Gurt, -e** belt
der **Gürtel, —** belt
gut good; well
die **Güte** goodness, kindness
gut gekleidet well-dressed
gutmütig good-natured

das **Haar, -e** hair
hacken to cut, chop
hager thin, slender, haggard
der **Haken, —** hook
halb half
der **Halbwüchsige, -n** (or der **Halbstarke**) (*adj. nouns*) teenager
die **Halluzination, -en** hallucination
der **Hals, ¨-e** neck
das **Hälschen, —** (little) neck
die **Halsseite, -n** side of the neck
* **halten** to hold; keep
* **halten für** (+ *acc.*) to consider to be
* **halten von** (+ *dat.*) to think of (*opinion or preference*)
halt so just that way
halt so wie just like
die **Haltung, -en** attitude
hämisch sneering, sardonic
die **Hand, ¨-e** hand
die **Handbewegung, -en** motion of the hand, gesture
handeln to act, do something
sich **handeln um** to concern, be a matter of
handeln von to deal with
handfest sturdy
der **Händler, —** dealer, person who sells something
die **Handlung, -en** act, action
handlungsschwanger pregnant with action
handlungsstark action-filled
der **Handwerksbursche, -n** workman
hantieren to work, putter around

hart hard; difficult
hartnäckig stubborn(ly)
hassen to hate
hastig hasty; hastily
häufig frequent(ly)
die **Hauptsache, -n** the main thing
die **Hauptstraße, -n** main street
das **Haus, ⁼er** house
die **Hausarbeit, -en** homework; housework
der **Haushalt** household
der **Hausierer, —** peddler
der **Häusler, —** cottager
die **Häuslerhütte, -n** cottager's hut
häuslich domestic
die **Haut, ⁼e** skin
* **heben** to lift
das **Heft, -e** notebook
heftig violent(ly)
das **Heim, -e** home
die **Heimat, -en** home, native country
der **Heimatlose, -en** (*adj. noun*) homeless person
* **heim•finden** to find one's way home
die **Heimkehr** homecoming, coming or returning home
die **Heimlichkeit, -en** secrecy
der **Heimweg, -e** way home
das **Heimweh** homesickness, nostalgia
heiß hot
* **heißen** to be called; be said; mean
hell light, bright
hellgrün light green
das **Hemd, -en** shirt
der **Hemdärmel, —** shirt sleeve
* **heran•wachsen** to grow up
die **Herausforderung, -en** challenge, provocation
heraus•klettern (s) to scramble out, climb out
heraus•rechnen to figure out, calculate
falsch heraus•rechnen to miscalculate
heraus•rutschen (s) to slip out of
heraus•stecken to stick out
sich **heraus•stellen als** to turn out to be
* **heraus•ziehen** to pull out
der **Herbst, -e** fall
* **herein•treten** (s) to walk in
* **her•geben** to give; yield
der **Herr, -n, -en** gentleman; Mr.
die **Herrlichkeit, -en** splendor
herrschen to rule, prevail
(viel) ***herum•kommen** (s) to get around (a lot)
* **herum•sitzen** to sit around
herum•stochern to poke around
sich * **herum•treiben** to knock around, gallivant
herunter•krempeln to roll down
herunter•machen to roll down, let down

* **hervor•kommen** (s) to come forth
das **Herz, -ens, -en** heart
heulen to howl
heute today
hier here
hierzulande in these parts
die **Hilfe, -n** help
einem zu Hilfe kommen to come to one's aid
hilflos helpless
der **Himbeerstrauch, ⸚er** raspberry bush
hinab•schicken to send down
* **hinab•steigen** (s) to descend
* **hinaus•werfen** to throw out
das **Hindernis, -se** obstacle
hin•deuten auf (+ *acc.*) to refer to, allude to
hinein•klemmen to jam in
hingebungsvoll devoted
hingegen on the other hand
hin•krakeln to scribble down
hin•legen to set down, put down
* **hin•nehmen** to accept
* **hin•schieben** to push over to
hinter behind
hintereinander one after the other
(einem etwas) *hinter-lassen to leave, leave behind; bequeath
der **Hintern** backside (*slang*)
die **Hintertür, -en** back door
hin und wieder now and again
sich **hinunter•neigen** to bend down
* **hin•weisen auf** (+ *acc.*) to point out (something)
* **hin•ziehen** to attract, draw toward
* **hinzu•treten** (s) to step over to (something or someone)
die **Hinzuziehung** calling in (for consultation)
die **Hitze** heat
hoch (höher, höchst-) high
* **hoch•heben** to lift up; raise
hochrädrig high-wheeled
hochrot very red
* **hoch•springen** (s) to jump up
die **Hochzeit, -en** marriage (ceremony), wedding
der **Hochzeitsschmaus, ⸚e** wedding banquet
der **Hof, ⸚e** courtyard
hoffen auf (+ *acc.*) to hope for
hoffentlich hopefully
die **Hoffnung, -en** hope
die **Höhe, -n** height
holen to get, fetch, pick up
das **Holz, ⸚er** wood
der **Holzball, ⸚e** wooden ball
der **Holzstuhl, ⸚e** wooden chair

der **Holzzuber, —** wooden tub
horchen to hear, listen, hearken
hören to hear
der **Hörer, —** receiver (*telephone*)
die **Hose, -n** pants
der **Hosenboden** seat of the pants
die **Hosentasche, -n** pants pocket
hüllen to wrap
der **Humor** humor
hundsföttisch low-down, lousy
der **Hunger** hunger
husten to cough
der **Hut, ⸚e** hat
die **Hut** custody, keeping
die **Hütte, -n** cottage, hut
die **Hypothek, -en (auf-nehmen)** (to take out) a mortgage

die **Idylle, -n** idyl, idyllic scene
immer always
immerhin anyway, nonetheless; after all
immerzu still
der **Imperativ, -e** imperative
imstande *__sein__* to be capable
indem as, while; by doing something
der **Indikativ, -e** indicative
ineinander•stecken to fit into one another
* **inne•halten** to pause, stop
das **Innere** (*adj. noun*) inside, interior
innerhalb (*gen. prep.*) inside of, within
innerlich inward(ly)
der **Insasse, -n** inmate
insgesamt in all
die **Intelligenz** intelligence
interessieren to interest
sich **interessieren für** (+ *acc.*) to be interested in
interessiert interested; in an interested way
intim intimate
inzwischen meanwhile
irgendein- some one (or thing) or other
irgendwelch- some one (or thing) or other
irgendwie somehow
irgendwo somewhere
sich **irren** to make a mistake

das **Jahr, -e** year
Jahrgang (1912) class of (1912)
das **Jahrzehnt, -e** decade
jammern (über + *acc.*) to wail, whine, lament (about)
je ever
jed- each, every
jedenfalls in any case, at any rate
jedesmal every time
jedoch however, nevertheless
jemand somebody
jenes, jener, jene that
jetzt now
die **Jugend** youth

der **Juli** July
jung (jünger, jüngst-) young

die **Kachel, -n** tile
der **Kaffee** coffee
die **Kaffeegesellschaft, -en** a coffee (party)
kahl bare
kaiserlich imperial
das **Kalb, ¨er** calf
kalt cold
die **Kälte** cold, coldness
die **Kammer, -n** small room
kämpfen (gegen + *acc.*) to fight (against)
die **Kantine, -n** canteen, commissary
das **Kapitel, —** chapter
kaputt broken
die **Karaffe, -n** carafe
kärglich scant
die **Karte, -n** postcard; map; ticket
das **Kartenspiel, -e** card game
der **Käse, —** cheese
die **Käsespeise, -n** cheese dish
das **Katheder, —** lecture platform
die **Katholischen** the Catholic forces
kauen (an + *dat.*) to chew (on)
der **Kaufmann,** die **Kaufleute** businessman
kaum scarcely, hardly
die **Kegelbahn, -en** bowling alley
kein no, not a, not any
keinesfalls by no means
die **Kellnerin, -nen** waitress
* **kennen** to know, be acquainted with
kennen•lernen to meet, make the acquaintance of
die **Kerze, -n** candle
die **Kette, -n** chain
das **Kind, -er** child
der **Kinderwagen, —** baby carriage
kindlich childlike
der **Kindsvater, ¨** father of a child (*a colloquial redundancy*)
der **Kinnhaken, —** uppercut (*boxing*)
das **Kino, -s** movies
die **Kirchenglocke, -n** church bell
Kirchweih church festival
die **Kirsche, -n** cherry
die **Kiste, -n** box, crate
klagen über (+ *acc.*) to complain about
klappern to bang
die **Klasse, -n** class
die **Klassenarbeit, -en** exercise written in class; test
das **Klassenbuch, ¨er** class book
der **Klecks, -e** stain, inkblot
das **Kleid, -er** dress
die **Kleider** (*pl.*) clothes
klein small
kleinlich petty
* **klingen** to sound
klirrend with a clatter
klopfen to knock

klug (klüger, klügst-) clever
der **Knabe, -n** boy
knapp exact; scarce, scanty; narrow, tight
knarren to creak
die **Knechtschaft** servitude
knieen to kneel
der **Knirps, -e** pigmy, little thing
knochig bony
der **Knopf, ⁻̈e** button
kochen to cook
die **Köchin, -nen** cook (*female*)
die **Kolonie, -n** colony
der **Komet, -en** comet
kommandieren to command
* **kommen** (s) to come
auf einen *zu•kommen (s) to come towards someone
das **Kommunionskleid, -er** Communion dress
die **Konferenz, -en** conference
der **Konfirmationsanzug, ⁻̈e** confirmation suit
der **König, -e** king
der **Konjunktiv, -e** subjunctive
* **können** to be able, can
konstruieren to construct
konzentriert concentrated
der **Kopf, ⁻̈e** head
das **Kopfnicken** nod of the head
kopfschüttelnd shaking one's head
der **Körper, —** body
der **Korridor, -e** corridor
korrigieren to correct
köstlich excellent, charming
krabbeln to crawl
die **Kraft, ⁻̈e** strength, power
kräftig powerful
krakeln to scribble
kränken to insult
die **Krankheit, -en** sickness, illness
der **Kranz, ⁻̈e** wreath
die **Kreide, -n** (piece of) chalk
der **Kreis, -e** circle
der **Kreisel, —** top (spinning top)
* **kriechen** (s) to creep
an einem hoch *kriechen to creep up on a person
der **Krieg, -e** war
kriminalistisch criminalistic
kriminell criminal
kritzeln to scrawl, scribble
der **Krüppel, —** cripple
die **Küche, -n** kitchen
das **Küchenmädchen, —** kitchen girl, maid
der **Küchenschrank, ⁻̈e** kitchen cupboard
der **Küchentisch, -e** kitchen table
die **Küchenuhr, -en** kitchen clock
der **Kugelschreiber, —** ballpoint pen
die **Kuh, ⁻̈e** cow
kühl cool

kümmerlich miserable, inadequate
sich **kümmern um** (+ *acc.*) to worry about
kündigen to give notice, quit
künstlich artificial
das **Kupferzeug** copperware, pots and pans
der **Kurfürst, -en, -en** Elector (in the Holy Roman Empire)
kurz short(ly), abrupt(ly)
kurz darauf shortly thereafter
kurzum in short, to sum up
kurz und klein to bits, into pieces
die **Kutsche, -n** carriage

lächeln to smile
das **Lächeln, —** smile
lachen to laugh
die **Lachlust** urge to laugh
der **Lack, -e** paint
das **Laken, —** sheet
die **Lampe, -n** lamp
das **Land, ⸚er** country
die **Landstraße, -n** road, highway
lang (länger, längst-) long
die **Länge, -n** length; long run
die **Langeweile** boredom
langsam slow(ly)
längst for a long time, long since
längstens for a long time
die **Längswand, ⸚e** longer wall
der **Lärm** noise
* **lassen** to let, allow; have (something done)
lateinisch Latin
lauern (auf + *acc.*) to lurk, lie in wait (for)
der **Lauf, ⸚e** course, path
laut loud; aloud
lauter pure(ly), nothing but
lautlos soundless
das **Leben, —** life
der **Lebenslauf, ⸚e** personal history, curriculum vitae
der **Leberfleck, -e** mole
lebhaft lively
die **Lederhandlung, -en** leather goods store
ledig single
lediges Kind illegitimate child
leer empty
leerstehend empty
legen to lay, put
der **Lehrer, —** teacher
die **Leiche, -n** corpse, body
leicht easy; light
(einem) leid *tun to be sorry for (a person)
die **Leidenschaft, -en** passion
der **Leidensgenosse, -n, -n** fellow sufferer
leider unfortunately
die **Leinendecke, -n** linen sheet or cover
leise soft(ly)
sich **leisten** to afford oneself
der **Leiterwagen, —** cart, hay wagon

die **Lektion, -en** lesson, rebuke
lernen to learn, study
lesbar legible
leuchten to shine, glisten
das **Licht, -er** light
der **Lichtschalter, —** light switch
lieb- dear
liebenswert lovely, lovable
lieber preferably
das **Liebespaar, -e** lovebirds
* **liegen** to lie, recline
* **liegen an** (+ *dat.*) to be due to
link- left
links left
das **Liter, —** liter
die **Lithographenanstalt, -en** lithography shop
loben to praise
löblich praisingly
das **Loch, ⸚er** hole
locken to tempt, attract
lohnen to pay; be worth (something)
das **Lokal, -e** place, joint
los loose; wrong
das **Los** lot, fate
los! (ready, set) go!, move!, move it!
lösen to solve; loosen
* **los•lassen** to let go
los•prusten to snort, burst out laughing
die **Lösung, -en** solution
* **los•ziehen über** (+ *acc.*) to run something (or someone) down
* **lügen** to (tell a) lie, make an untrue statement
lustig merry

machen to make; do
mächtig powerful, mighty
die **Magd, ⸚e** maid, girl
mager thin, lean
der **Magistrat, -e** magistrate
die **Mahlzeit, -en** meal, mealtime
mal just
das (erste) Mal the (first) time
malerisch picturesque, scenic
Mallorca Majorca
man one
manchmal often, sometimes
der **Mann, ⸚er** man
nach Männerart as men will do, in masculine fashion
die **Mannschaft, -en** team
die **Mannsleute** men (*archaic or rural*)
der **Markt, ⸚e** market, market place
der **Markttag, -e** market day
marschieren to march
auf die Stadt zu marschieren to march on the city
Marseille *city on the coast of southern France*
der **Maßschuh, -e** ready-made shoe, custom-made shoe
die **Mathematikstunde** math period
mehr more, anymore
meinen to mean, say, think

meinethalben (or **meinetwegen**) for all I care
die **Meinung, -en** opinion
meistens (meist) usually; mostly; most
(sich) **melden** to report, show up
die **Menge, -n** crowd
der **Mensch, -en, -en** person
der **Menschenkenner, —** keen observer of human nature
merken to notice
merkwürdig remarkable
das **Messer, —** knife
der **Meter, —** meter
mieten to rent, hire
die **Milch** milk
der **Milchmann, ⸚er** milkman
die **Minute, -n** minute
mißbilligend disapproving
die **Mißbilligung, -en** disapproval
mißtrauisch suspicious, distrustful
der **Mistbauer, —** dung farmer
mit with
mithin consequently
das **Mitleid** pity, sympathy
* **mit•nehmen** to take along
der **Mittag, -e** noon
das **Mittagessen, —** noonday meal, lunch, dinner
die **Mittagspause, -n** midday break, lunch break
der **Mittagstisch, -e** dinner table
(einem etwas) mit•teilen to tell (someone something), impart
das **Mittel, —** middle; mean(s)
das **Mittelmeer** Mediterranean Sea
mitten in in the middle of
der **Mittwoch, -e** Wednesday
mitunter now and then, occasionally
(ich) möchte (I) would like
die **Mode, -n** fashion
die **Mole, -n** pier, jetty
der **Moment, -e** moment
monatlich monthly, every month
der **Montag, -e** Monday
der **Mord, -e** murder
morgen tomorrow
der **Morgen, —** morning
der **Morgenrock, ⸚e** housecoat, dressing gown
morgens in the morning
die **Moritat, -en** street ballad (*usually gruesome; word derived from* **Mordtat**)
müde tired
die **Mühle, -n** mill
der **Mund, ⸚er** mouth
mündlich oral
das **Mundtuch, ⸚er** napkin
der **Mungenast, ⸚e** branch of a mungen tree
munter cheerful
murmeln to mumble, murmur
die **Muschel, -n** mouthpiece (*telephone*); *lit.:* shell

das **Musikstück, -e** piece of music
* **müssen** to have to, must
mutig courageous, bold
die **Mutter, ¨** mother

nach after; according to
der **Nachbar, -n, -n** neighbor
das **Nachbardorf, ¨er** neighboring village
nachdem after, after that
das **Nachdenken** thinking, reflection, contemplation
die **Nachdenklichkeit** thoughtfulness
* **nach•geben** to give in, yield
nachher afterwards, later
* **nach•lassen** to abate, let up
nachlässig casual
nachmittags in the afternoon
die **Nachricht, -en** news, information
nächstbest- next best
die **Nacht, ¨e** night
nachts nights, at night
nackt bare, naked
nah (näher, nächst-) near
die **Nähe** proximity
der **Name, -n, -n** name
namens by the name of
nämlich namely
naß wet
natürlich natural(ly)
neben next to
* **nehmen** to take
zu sich nehmen to eat or drink, consume
sich **neigen** to bend over; incline; draw to a close
neu new
neugierig curious
die **Neuheit, -en** novelty, something new
nicht not
die **Nichte, -n** niece
nichts nothing
das **Nichtstun** doing nothing
nicken to nod
nie never
* **nieder•fallen** (s) to fall down
sich **nieder•setzen** to sit down
niedrig low
niemals never
niemand no one
noch still, yet
noch einmal once more
normalerweise normally
die **Notizen** (*pl.*) notes
nüchtern sober
nüchterner Magen empty stomach
nun now
nunmehr henceforth, from now on
nur only
nützlich useful

ob whether, if
oben up, up there, on top; at the head of a table
die **Obertertia, -en** upper third form, 9th grade
die **Obstschale, -n** fruit bowl
obwohl although

öd(e) desolate, dull
oder or
offen open
öffnen to open
oft (öfter) often
das **Ohr, -en** ear
der **Onkel, —** uncle
das **Opfer, —** victim, sacrifice
der **Orangensaft, ⸚e** orange juice
ordentlich proper
ordnen to order, put in order
die **Ordnung, -en** order
das **Original, -e** a character, some kind of nut (*slang*)
die **Originalität** originality
der **Ort, -e** place

ein paarmal a couple of times
packen to pack, seize
der **Pädagoge, -n** pedagogue
die **Panik** panic
die **Pantoffeln** (*pl.*) slippers
das **Paradies** paradise
das **Parkett** orchestra seats
die **Partei, -en** party
pathologisch pathological
die **Pause, -n** pause
peinlich painful(ly)
der **Pelzmantel, ⸚** fur coat
das **Pergament, -n** parchment, document
die **Person, -en** person
persönlich personal(ly)
die **Persönlichkeit, -en** personality
der **Pfarrer, —** minister
das **Pferdegefährt, -e** horse-drawn vehicle
das **Pferderennen, —** horse race
der **Pflaumenkuchen, —** plum tart
pflegen to be accustomed to; nurture, cultivate, take care of, keep up
die **Pflicht, -en** duty
pfundig first-rate, great (*slang*)
die **Photographie, -n** picture, photo
plagen to torment
das **Plakat, -e** poster, placard
planmäßig regular, systematic
plärren to bawl, blubber
Plärrer *an Augsburg folk festival*
platschen to plop
der **Platz, ⸚e** place; seat; square
platzen to burst
plötzlich sudden(ly)
plump clumsy; pudgy
plündern to plunder, sack
die **Plünderung, -en** plundering
die **Polizei** police
die **Pore, -n** pore
die **Portion, -en** portion, share
die **Probe, -n** test
das **Problem, -e** problem
pro forma as a matter of form
das **Programmblatt, ⸚er** program

promovieren to take one's Ph.D.
der **Protestant, -en** Protestant
der **Protestantenbankert, -e** Protestant bastard
der **Prozeß, -sse um** trial about (concerning)
die **Prüfung, -en** test
der **Prüfungsraum, ⸚e** testing room
der **Psychologe, -n** psychologist
das **Publikum, -s** public, audience
pur pure
die **Putzfrau, -en** cleaning woman

das **Quartier, -e** quarter (of a city)
quer vor squarely across

der **Rand, ⸚er** border, edge
Rappen Swiss cents
der **Rasen, —** lawn
rasend furious
* **raten** to advise
das **Rathaus, ⸚er** city hall
ratlos confused, aimless
die **Ratlosigkeit** helplessness
rattern to rattle
der **Raum, ⸚e** room; space
räumen to vacate, quit, make room
der **Rausch, ⸚e** intoxication, drunkenness
rauschen to gurgle, rush
sich **räuspern** to clear one's throat
rechnen to add, calculate
rechnen zu (+ *dat.*) to count among
die **Rechnung, -en** bill
recht real, right, very
der **Rechtsanwalt, ⸚e** lawyer
die **Rechtssache, -n** lawsuit, case
der **Rechtsstreit, -e** lawsuit
recken to extend, stretch, crane (*e.g.*, one's neck)
die **Rede, -n** speech
beim Reden while talking
die **Redensart, -en** saying, cliché
reden über (+ *acc.*) to speak, talk about
zur Rede stellen to call to account, take to task
nicht der Rede wert not worth mentioning
die **Regel, -n** rule
regelmäßig regular
die **Reihe, -n** row, series
der Reihe nach in order, one after another
* **rein•halten** to keep clean
die **Reise, -n** trip
* **reißen** to rip; yank
reizend charming
* **rennen** to run
reservieren to reserve
respektabel respectable
(der) Respekt haben vor to have respect for
der **Rest, -e** rest, remainder; leftovers
das **Restaurant, -s** restaurant
das **Resultat, -e** result
die **Reue** repentance
der **Revolver, —** revolver

die **Revolvertasche, -n** holster
der **Richter, —** judge
richtig right, correct; real
die **Richtung, -en** direction
der **Rock, ⸚e** coat; dress; skirt; petticoat
die **Rolle, -n** role
römisch Roman
die **Rose, -n** rose
der **Rosenstock, ⸚e** rose tree
rosig rosy
rot red
die **Rotte, -n** band
der **Rotwein, -e** red wine
die **Routine** routine
der **Ruck, -e** jerk, tug
der **Rücken, —** back
die **Rücksicht, -en** regard, consideration
rücksichtslos careless, thoughtless
der **Rückweg, -e** way back; retreat
ruhig calm, quiet
der **Ruhm** fame, reputation
rund round
* **(he)runter·gehen (s)** to come down, fall

der **Saal,** die **Säle** hall, room
die **Sache, -n** thing, affair, matter
das **Sacktüchlein, —** little handkerchief
sagen to say, tell
das **Sakrament, -e** sacrament
sammeln to collect, gather
der **Samstag, -e** Saturday
sanft soft
der **Sarg, ⸚e** coffin
satt full, well-fed
der **Satz, ⸚e** sentence
sauber clean
sauber·machen to clean
die **Säule, -n** column
schaffen to do
nichts zu schaffen haben mit to have nothing to do with
der **Schafspelz, -e** sheepskin (coat)
schälen to peel
der **Schall, -e** sound
sich **schämen** to be ashamed
schätzen to value, treasure
der **Schaukelflug** swinging flight
schaukeln to swing
die **Scheibe, -n** slice
die **Scheidung, -en** divorce
die **Scheidungsklage, -n** divorce suit, divorce complaint
* **scheinen** to seem; shine
schellen to ring (*of a bell*)
der **Schemel, —** footstool
scheu shy
scheuern to rub
schicken to send
* **schieben** to shove, push
* **schießen** to shoot
schildern to describe
der **Schlächter, —** butcher
die **Schlachtreihe, -n** battle line
der **Schlaf** sleep
* **schlafen** to sleep
die **Schlafstube, -n** bedroom

das **Schlafzimmer, —** bedroom
der **Schlag, ⸗e** blow, knock
* **schlagen** to hit, bang
der **Schlagrahm** whipped cream; whipping cream
die **Schlampe, -n** tramp (*female*), slut
die **Schlamperei, -en** sloppiness, slovenliness
schlau clever, sly
schlecht bad, poor(ly)
* **schleichen** to creep, sneak
schlendern to amble, stroll, wander off
schlicht simple, modest
* **schließen** to close; conclude
schließlich finally
schlimm (das Schlimme) bad (the bad thing)
das **Schloß, ⸗sser** lock
das **Schluchzen, —** sob
schlüpfen to slip
der **Schluß, ⸗sse** end, conclusion
der **Schlüssel, —** key
schmal narrow
schmallippig narrow-lipped
schmerzlich painful
schmierig greasy, dirty
der **Schmuck** jewelry
der **Schmutzfleck, -e** dirty spot
schmutzig dirty
schnappen to latch (onto), get hold (of), snap (up)
schnappen (nach) to snap (at)
der **Schnaps, ⸗e** brandy
der **Schnee** snow
die **Schneeschmelze, -n** thaw
der **Schnellzug, ⸗e** express train
schnippen to flick
die **Schnur, ⸗e** string
das **Schock, ⸗e** shock
schon already
schön pretty, beautiful
schonen to spare
der **Schrank, ⸗e** cabinet, closet
der **Schreck(en)** terror, fear
der **Schrei, -e** cry, yell, scream
* **schreiben (an +** *acc.*) to write (to)
das **Schreiben** writing; letter
* **schreien** to scream
die **Schrift** handwriting
schriftlich written
schrillen to sound harsh
der **Schritt, -e** footstep, step, stride, pace
der **Schuft, -e** scoundrel, lout, rat (*slang*)
der **Schuh, -e** shoe
die **Schuld, -en** debt; guilt
schuldbeladen guilt-laden
die **Schuldfrage, -n** question of guilt
Schuld haben (an + *dat.*) to be at fault (for)
einem etwas schuldig bleiben to owe someone something
die **Schule, -n** school
der **Schüler, —** pupil

der **Schulkollege, -n** schoolmate
die **Schulzeit** school days
der **Schuß, -̈sse** shot
schütteln to shake
schütten to pour
der **Schutz** protection, defense
Schwaben Swabia
schwach (schwächer, schwächst-) weak
schwachsinnig simple-minded
die **Schwägerin, -nen** sister-in-law
schwarz black
schweben to float (above the ground)
* **schweigen** to be silent
das **Schweigen** silence
schweigend silently
zum Schweigen *verweisen to tell to be quiet
die **Schweinerei** mess
Schweizer (*noun and adj.*) Swiss
die **Schwelle, -n** threshold
schwer difficult
schwerfällig awkward
es schwer haben to have it rough (*slang*)
die **Schwiegertochter, -̈** daughter-in-law
schwierig difficult
die **Schwierigkeit, -en** difficulty
der **Schwung, -̈e** swing; animation
* **sehen** to see
der **Seidenrock, -̈e** silk skirt
die **Seife, -n** soap
der **Seifenschaum** (soap) lather
das **Seil, -e** rope
* **sein** (s) to be
seinerseits for his part
die **Seite, -n** side; page
seitwärts von to one side of
selber, selbst (my-, your-, him-, her-, it-)self, (our-, your-, them-)selves
selbstverständlich of course; (that's) obvious or self-evident
selig blissful
seltsam strange
der **Sergeant, -en, -en** sergeant
setzen to set, put
sich **(hin)•setzen** to sit down
seufzen to sigh
sicher certain(ly), sure(ly)
die **Sicherheitsnadel, -n** safety pin
sichtlich visible, visibly
der **Sieg, -e** victory
sinnlos senseless
der **Sirup, -e** sirup
* **sitzen** to sit
sobald as soon as
so daß so that
sofern if; as far as
sogar even
sogenannt- so-called
sogleich immediately
der **Sohn, -̈e** son
der **Soldat, -en** soldier
sollen shall, should, ought to; be supposed to, be said to
somit therewith

der **Sommer, —** summer
sondern rather, but
die **Sonne, -n** sun
der **Sonnenschirm, —** parasol
der **Sonnenuntergang, ⸚e** sunset
der **Sonntag, -e** Sunday
der **Sonntagnachmittag, -e** Sunday afternoon
sonntags on Sunday
sonst otherwise, in other respects
die **Sorge, -n** concern, anxiety, trouble, care
soviel (wie) as much (as)
der **Sozialdemokrat, -en, -en** social democrat
spannend exciting, tense
der **Spaß, ⸚e** fun, joke
Spaß machen to be fun
spät late
der **Spätaufsteher, —** late riser
spazieren to take a walk
der **Speck** bacon
die **Speise, -n** food
die **Speisekammer, —** pantry
speisen to eat
spenden to treat (to), give
das **Spiel, -e** game
spielen to play
der **Spieler, —** player
der **Spielkamerad, -en** playmate
die **Spielregel, -n** rules of the game
der **Spinnrocken, —** distaff
der **Spitzname, -n** nickname
die **Spitznase, -n** pointed nose
sprachlos speechless
die **Sprechweise, -n** way of speaking
die **Spur, -en** trace, trail
die **Staatsprüfung, -en** state examination
das **Städtchen, —** small city, town
der **Stadtteil, -e** part of the city
der **Stall, ⸚e** stall, shed
stammen to come from (*origin*)
das **Stammlokal, -e** one's regular restaurant or hangout
das **Standesamt, ⸚er** justice of the peace
stark (stärker, stärkst-) strong
die **Stärke, -n** strength
starren to stare
* **statt•finden** to take place
stauen to stow
stecken to stick, put, place; be somewhere or in something
* **stehen** to stand
(einem) gut stehen to look good (on someone)
* **stehen•bleiben** (s) to stop, come to a halt
* **stehlen** to steal
steigern to increase, raise
die **Stelle, -n** job, position; place
stellen to put, place

die **Stellung, -en** job
stellungslos unemployed
der **Stellvertreter, —** representative, deputy
das **Sterbebett, -en** death bed
* **sterben** (s) to die
stet- continual, constant
die **Steuer, -n** tax
im Stich *lassen to leave in the lurch
* **stießen** to bump
der **Stift, -e** pin
still silent
im stillen silently, in silence, secretly
die **Stimme, -n** voice
der **Stock, ¨-e** stick; story (of a building)
der **Stoff, -e** substance; material
stolpern to stumble
stolz auf (+ *acc.*) proud of
stopfen to stuff; tuck in
der **Stoß, ¨-e** pile
der **Stoßseufzer, —** deep sigh
strahlend beaming, radiant
strampeln to kick
die **Straße, -n** street
der **Straßengraben, ¨—** ditch (alongside of the road)
* **streichen** to strike, remove
streifen to brush, scrape
der **Streit, -e** argument, quarrel
* **streiten über** (+ *acc.*) to argue about
streng hard, harsh
das **Stricken** knitting
die **Strickmaschine, -n** knitting machine
die **Stube, -n** room
das **Stück, -e** piece
das **Studium,** die **Studien** study
die **Stufenleiter, -n** stepladder
der **Stuhl, ¨-e** chair
die **Stunde, -n** hour, class hour
stürmen to storm
stürzen to rush, crash, fall
suchen to look for
südwärts to the south
die **Sünde, -n** sin
die **Suppe, -n** soup

der **Tag, -e** day
täglich daily
tagsüber during the day
die **Taktik** tactics
der **Talentflegel, —** talented brat
tapfer brave
tappen to grope
die **Tasse, -n** cup
die **Tat, -en** deed
in der Tat indeed, actually
tatarisch Tartar
der **Tatendrang** hunger for activity
die **Tätigkeit, -en** activity
tatsächlich really, actually
das **Tau, -e** rope, line, cable
taumeln to stagger, reel
täuschen to deceive
die **Täuschung, -en** deception
technisch technical

der **Teil, -e** part
die **Teilnahme** interest, concern
teilnahmslos indifferent, apathetic, disinterested
* **teil•nehmen an** (+ *dat.*) to take part in, participate in
das **Telefon, -e** telephone
der **Teller, —** plate
tellerweiß white as a plate
temperieren to warm up
teuer expensive
das **Theater, —** theater
der **Tick, -s** whim, caprice
tief deep(ly)
der **Tiefpunkt, -e** low point
der **Tisch, -e** table
das **Tischtuch, ¨-er** tablecloth
der **Toast, -e** toast
der **Tod, -e** death
die **Todesursache, -n** cause of death
der **Todgeweihte, -n** (*adj. noun*) doomed man
todkrank deathly ill
tollwütig rabid; mad
der **Ton, ¨-e** sound, tone, tone of voice
der **Topf, ¨-e** pot, jar, jug
die **Torte, -n** torte, cake
tot dead
das **Totenbett, -en** death bed
der **Totenschein, -e** death certificate
totenstill deathly silent
die **Tracht, -en** costume, uniform
* **tragen** to carry; wear
die **Trägheit** inertia
tragisch tragic
die **Tragödie, -n** tragedy
trällern to sing "tra-la-la"
die **Träne, -n** tear
tränenüberströmt drenched with tears
der **Trauergang, ¨-e** funeral procession
die **Trauerkapelle, -n** mortuary chapel
der **Trauernde, -n** (*adj. noun*) mourner
träumen to dream
traut- cozy, intimate
die **Trauungsformel, -n** marriage vow
* **treffen** to meet; strike, hit
die **Treppe, -n** staircase
* **treten** (s) to step, walk
* **trinken** to drink
das **Trinkgeld, -er** tip
triumphierend triumphant
trocken dry
der **Tropenhelm, -e** pith helmet
der **Trost** consolation
der **Trotz** defiance
trotzdem nontheless, despite that
trüb(e) gloomy, dull
die **Truppen** troops
tüchtig capable; good; well; a lot
* **tun** to do
die **Tür, -en** door
der **Türhüter, —** doorkeeper
die **Türklinke, -n** door handle
der **Turm, ¨-e** tower

das **Tuten** blast on a horn, whistle

übel bad, ill
üben to practice
über over, across
der **Überfall, ⸚e** attack
überhaupt at all; altogether
* **überkommen** to overcome
überlegen in a superior manner
sich **überlegen** to think over, consider, ponder, reflect
übernächst- the one after the next
übernachten to spend the night,
* **übernehmen** to take over, take upon oneself
überraschen to surprise
überrascht surprised
überrumpeln to take by surprise
übervoll over full, overloaded
* **überwinden** to overcome, conquer, master
überzeugend convincing
die **Überzeugung, -en** conviction
üblich usual, customary
übrig other
* **übrig•bleiben** to be left over, remain
übrigens moreover, furthermore; by the way
die **Uhr, -en** clock, watch; o'clock
umarmen to embrace
um•blicken to look around
der **Umgang** association, acquaintance
die **Umgebung, -en** environs
die **Umgegend** neighboring places, environs
* **umher•sehen** to look around
umklammern to grasp, clutch, embrace
umkreisen to circle
umringen to surround
sich **um•schauen** to look around
Umschau halten (nach) to look around (for)
um•stimmen to change (someone's) mind
sich * **um•wenden** to turn around
unangenehm unpleasant
unappetitlich unappetizing
unauslöschlich indelible
unbändig unconstrained
unbedingt without fail
unberührt untouched
und and
unecht ingenuine, false
unentdeckt undiscovered
unerklärbar inexplicable
unerklärlich inexplicable
unersättlich insatiable
unfreundlich unfriendly
ungeduldig impatient
ungefähr approximate(ly)
ungemein uncommon(ly)

ungeschickt clumsy
ungeschmiert not greased, not oiled
ungewohnt unusual, unaccustomed
ungewünscht unwanted, not expected or desired
ungläubig incredulous, unbelieving
unglaublich unbelievable, incredible
die **Uniform, -en** uniform
unmöglich impossible
unruhig restless
unschuldig innocent
unsicher uncertain(ly)
die **Unsicherheit, -en** uncertainty
der **Unsinn** nonsense
unten below, down there, downstairs
unter beneath, underneath, below
* **unterbrechen** to interupt
* **unter•bringen bei** (+ *dat.*) to put up (at someone's place)
unterdrücken to suppress
untergeschlüpft sheltered, found a place
die **Unterhaltung, -en** conversation
unterlassen to abstain from, give up, refrain from
die **Unterlippe, -n** lower lip
* **unternehmen** to undertake
der **Unterricht** instruction, class hour
* **unterschreiben** to sign
die **Unterschrift, -en** signature
unterst- lowermost
die **Unterstützung, -en** support
die **Untersuchung, -en** investigation
unterzeichnen to sign
unterzogen werden to be subjected to
ununterbrochen uninterrupted
unverändert unchanged
der **Unverantwortliche, -en** (*adj. noun*) irresponsible person
unverlöschlich inextinguishable
unvermeidlich unavoidable
unvermittelt sudden(ly)
unvernünftig unreasonable
unversehrt unharmed
unvorsichtigerweise incautiously
unwiderstehlich irresistible
unwürdig unworthy, shameful
üppig luxuriously
die **Ursache, -n** cause, reason

der **Vater, ⸚** father
veraltet obsolete
verändern to change
veranlassen to cause, induce
verbeult battered, dented
* **verbinden** to combine

die **Verbindung, -en** contact, connection
verblüfft dumbfounded, amazed, nonplussed
das **Verbot, -e** prohibition
verboten forbidden
verbrauchen to use, consume
das **Verbum, -en** verb
verchromt chromium-plated
verdecken to cover
verdienen to earn; deserve
verdutzen to puzzle, take aback
die **Verehelichung, -en** marriage ceremony
vereinsamt isolated
die **Vereinsamung** isolation
verfluchen to curse
die **Vergangenheit** past
vergebens in vain
* **vergehen** (s) to fade, diminish; pass (time)
* **vergessen** to forget
der **Vergleich, -e** comparison; compromise
das **Vergnügen, —** pleasure
sich * **verhalten** to react
verhandeln to deliberate, negotiate, have court sessions
die **Verhandlung, -en** trial, court session
verhauen to beat soundly
verheiraten to marry
verheiratet (mit) married (to)
das **Verhör, -e** examination, interrogation
der **Verkauf, ¨-e** sale
der **Verkehr** traffic; company
verkehren to frequent, visit
verkünden to announce, proclaim
verkündigen to announce
verlangen to demand
verlegen embarrassed
verletzend cutting
verleugnen to deny, disclaim
* **verlieren** to lose
der **Verlierer, —** loser
der **Verlust, -e** loss
* **vermeiden** to avoid
vermissen to miss
die **Vernunft** reason
verpantschen to adulterate (*e.g.*, add water to)
die **Verpflichtung, -en** duty, obligation
verprügeln to whip, beat up
verpufft fizzled
* **verraten** to betray, disclose
die **Verrichtung, -en** to act, function
verrückt mad, crazy
verrufen disreputable
versäumen to overlook, miss, omit
verschämt modest(ly)
verschieden different
* **verschwinden** to disappear
* **versprechen** to promise
verspritzen to spray, bespatter

verspüren to perceive, feel
sich **verstauchen** to sprain
sich **verstecken** to hide
* **verstehen** to understand
sich **verstellen** to put up a front, dissemble
verstockt obdurate
verstorben deceased
verstört disconcerted, troubled
verstummen (s) to become silent
der **Versuch, -e** attempt, experiment
versuchen to try
vertauschen to exchange
sich **vertiefen in** (+ *acc.*) to become absorbed in (something), deeply occupied or preoccupied with (something)
* **vertragen** to stand; digest
verursachen to cause
vervollständigen to supplement, complete
der **Verwandte, -en** (*adj. noun*) relative
verwaschen pale, washed-out
verwechseln to confuse, mistake for
* **verweisen an** (+ *acc.*) to refer to
verwenden to make use of
verwundert amazed
verzehren to consume, devour
die **Verzeihung** pardon
verzichten auf (+ *acc.*) to forgo, do without
sich * **verziehen** to withdraw
verzieren to decorate
verzweifelt in despair
viel gebraucht much used
vielleicht perhaps, maybe
vier four
viereckig square
das **Viertel, —** quarter
das **Vierteljahr, -e** quarter of a year
die **Viertelstunde, -n** quarter of an hour
vierzehn fourteen
vitaminreich rich in vitamins
das **Volk, ¨er** people
volkstümlich folksy, popular
voll full
vollendet complete
von of, from
* **vorbei•schreiten** (s) to walk by
* **vor•fahren** (s) to drive up
* **vor•finden** to find
vorgerauscht (kommen) to come forward with a rustling sound
* **vor•haben** to intend
der **Vorhang, ¨e** curtain
* **vor•kommen** (s) to happen, occur
sich * **vor•kommen** (s) to feel, seem to oneself
der **Vormittag, -e** forenoon
vormittags in the morning
der **Vorname, -n** first name
* **vor•nehmen** to undertake, intend

vor•rücken (gegen) to advance (on, toward)
* **vor•schieben** to extend, push forward
der **Vorschlag, ⸚e** suggestion
* **vor•schreiben** to prescribe (a rule)
einem etwas vor•setzen to set something in front of someone
vor sich hin in front of himself; to himself
vorsichtig careful
vorsorglich as a precaution
die **Vorstadt, ⸚e** suburb
vor•stellen to introduce
sich (etwas) vor•stellen to imagine (something), picture something (to oneself)
die **Vorstellung, -en** notion, idea
vor•täuschen to pretend
* **vor•treten** (s) to step up, step forward
die **Voruntersuchung, -en** preliminary investigation
der **Vorwurf, ⸚e** reproach
Vorwürfe machen to reproach
vorzüglich especially

wach awake
wachen über (+ *acc.*) to watch over
* **wachsen**(s) to grow
wacklig rickety
wagen to dare, risk
wählen to choose, elect
wahr true
während (*gen. prep.*) during; (*conj.*) while
wahrhaftig in truth, in fact
wahrscheinlich probable, probably
das **Wahrzeichen, —** distinguishing characteristic, trademark (*slang*)
die **Wand, ⸚e** wall
die **Wanderung, -en** trip on foot
wann when
warten auf (+ *acc.*) to wait for
warum why
* **waschen** to wash
das **Wasser** water
weder . . . noch neither . . . nor
weg away
der **Weg, -e** way, path
wegen (*gen. prep.*) because of; for the sake of, due to, on account of
* **weg•sehen** to look away
weg•setzen to put away
* **weg•werfen** to throw away
weg•winken to wave away
* **weg•ziehen** (s) to move away
das **Weib, -er** woman, wife
weich soft
sich **weigern** to refuse
der **Weihnachtsmann** Santa Claus
weil because, since
die **Weile, -n** while
weinen to cry

das **Weinen** crying
weise wise
die **Weise, -n** way, manner
der **Weisheitsspruch, ⸚e** wise saying
weiß white
weit far, distant
von weitem from a distance
* **weiter•gehen** (s) to go on
* **weiter•schreiten** (s) to walk on, stride on
weither farther, further
welch- which
die **Welt, -en** world
der **Weltplan** the "scheme of things"
sich **wenden an** (+ *acc.*) to turn to
die **Wendung, -en** turn; turn of events
wenig little, few
wenigstens at least
wenn when; whenever; if
* **werden** (s) to become
* **werfen** to throw
die **Werkstatt, ⸚e** workshop
werktags working days
der **Wert, -e** value
wertvoll valuable
weshalb why, on what account
wichtig important
wickeln to wrap
widerlegen to refute, disprove
widerstrebend reluctant
wie how
wieder again
die **Wiege, -n** cradle
wiegen to rock
der **Wille** will
die **Willensanstrengung, -en** effort of will
willig willing
wimmeln (von) to teem with
der **Wind, -e** wind
der **Winter, —** winter
winzig tiny
die **Wirklichkeit, -en** reality
der **Wirt, -e** innkeeper
die **Wirtschaft, -en** household; economy; inn
* **wissen** to know (a fact)
das **Wissen** knowledge
wittern to smell, scent, get wind of
die **Witwe, -n** widow
der **Witz, -e** joke
wochenlang for weeks
der **Wochentag** weekday
woher from where
wohl probably
der **Wohlfahrtsbeamte, -n** welfare official
wohlwollend well-meaning, benevolent
wohnen to live, reside
die **Wohnung, -en** apartment
* **wollen** to want to
die **Wolljacke, -n** cardigan, sweater
das **Wort, ⸚er** word
wortlos without (saying) a word, silently
das **Wunder, —** wonder, surprise, miracle
sich **wundern über** (+ *acc.*) to wonder about; be surprised
wundervoll wonderful
würdig dignified

der **Wurm, ¨-er** worm
die **Wüste, -n** desert

die **Zahl, -en** number, figure
der **Zahn, ¨-e** tooth
der **Zank, ¨-e** quarrel, squabble
zart delicate
zärtlich loving, tender, affectionate
die **Zärtlichkeit, -en** tenderness
die **Zeche, -n** (bar) tab, bill
die **Zehe, -n** toe
zehn (die Zehner) ten (the tens)
zeigen to show, indicate
der **Zeiger, —** hand (*clock*)
die **Zeit, -en** time
eine **Zeitlang** for a time
* **zerfallen** (s) to fall apart
der **Zerstäuber, —** atomizer
zerstören to destroy
der **Zettel, —** slip of paper
der **Zeuge, -n** witness
die **Zeugin, -nen** witness (*female*)
die **Ziege, -n** she-goat
* **ziehen** to draw, pull
* **ziehen (zu)** to move (to)
ziemlich rather
das **Zimmer, —** room
zögern to pause, hesitate
das **Zögern** hesitation
der **Zorn** anger
zornig angry, irate
zu to
* **zu•bringen** to spend (time)
der **Zuckerschaum** icing
der **Zufall, ¨-e** chance
zufrieden satisfied, contented
zugänglich accessible
zugeneigt disposed to, inclined to
zugereist- (*adj.*) newly arrived
zugleich at the same time
der **Zuhörer, —** listener, *pl.:* audience
zu•knallen to slam shut
zu•knöpfen to button up
zu•legen to acquire
zumal especially since
zumindest at least
zu•nicken to nod toward
zu•raunen to whisper
sich **zurecht•setzen** to get oneself settled
zu•reden to advise; console
einem Trost zureden to console a person
zurück•gewinnen to win back
die **Zurückhaltung** reserve
zurück•kehren (s) to return
zurück•stellen to put back
* **zusammen•halten** to hold together
sich **zusammen•krampfen** to contract
zusammen•rechnen to add or total (things) up
zusammen•zählen to add or total (things) up
zu•schauen (+ *dat.*) to watch

der **Zuschauer, —** person watching, *pl.:* audience
zu•schnüren to tie
* **zu•sehen** to watch
(einem etwas) *zu•sprechen to award (something to someone)
der **Zustand, ⸚e** situation; condition
* **zu•stoßen** (+ *dat.*) to befall, happen to
zu•trauen to credit (a person with something)
zuungunsten (+ *gen.*) to the disadvantage of
die **Zuversicht** confidence
zuvor previously
zu•wackeln auf (+ *acc.*) to totter toward
zuweilen occasionally
zwanzig twenty
der **Zweifel, —** doubt
zweifeln to doubt
zweit(ens) second(ly)
der **Zwieback** melba toast, Zwieback
* **zwingen** to force, compel
zwinkern to wink, blink
zwischendurch between times
der **Zwischenfall, ⸚e** incident; disturbance
zwölf twelve

1
2
3
4
5
6